D1550756

Ce livre est publié par un éditeur indépendant.

Si vous désirez recevoir gratuitement notre catalogue
et être régulièrement informé de nos nouveautés,
n'hésitez pas à envoyer vos coordonnées à :

L'ARCHE *Éditeur*
86, rue Bonaparte
75006 Paris
newsletter@arche-editeur.com

La Vie de Galilée

ISBN : 978-2-85181-248-3
Titre original
Leben des Galilei
© 1955 Suhrkamp Verlag, Berlin
© 1955 L'Arche Éditeur
© 1990 L'Arche, 86, rue Bonaparte, 75006
pour la présente version française
Tous droits réservés

Dessin de couverture : Yannis Kokkos

Bertolt Brecht
La Vie de Galilée

Traduction
Eloi Recoing

L'Arche

Collaboratrice : Margarethe Steffin.

PERSONNAGES

GALILEO GALILEI. ANDREA SARTI. MADAME SARTI, *gouvernante de Galilée, mère d'Andrea*. LUDOVICO MARSILI, *jeune homme riche*. MONSIEUR PRIULI, *curateur de l'Université de Padoue*. SAGREDO, *ami de Galilée*. VIRGINIA, *fille de Galilée*. FEDERZONI, *polisseur de lentilles, collaborateur de Galilée*. LE DOGE. MEMBRES DU CONSEIL. COSME DE MÉDICIS, *grand-duc de Florence*. LE MARÉCHAL DE LA COUR. LE THÉOLOGIEN. LE PHILOSOPHE. LE MATHÉMATICIEN. LA DAME D'HONNEUR D'UN CERTAIN ÂGE. LA JEUNE DAME D'HONNEUR. UN LAQUAIS *du grand-duc*. DEUX RELIGIEUSES. DEUX SOLDATS. UNE VIEILLE FEMME. UN GROS PRÉLAT. DEUX MOINES. DEUX ASTRONOMES. UN MOINE TRÈS MAIGRE. LE TRÈS VIEUX CARDINAL. LE PÈRE CHRISTOPHE CLAVIUS, *astronome*. LE PETIT MOINE. LE CARDINAL INQUISITEUR. LE CARDINAL BARBERINI, *qui deviendra le pape Urbain VIII*. LE CARDINAL BELLARMIN. DEUX SECRÉTAIRES ECCLÉSIASTIQUES. DEUX JEUNES DAMES. FILIPPO MUCIUS, *savant*. MONSIEUR GAFFONE, *recteur de l'Université de Pise*. LE CHANTEUR DE BALLADES. SA FEMME. VANNI, *fondeur*. UN FONCTIONNAIRE. UN HAUT FONCTIONNAIRE. UN INDIVIDU. UN MOINE. UN PAYSAN. UN GARDE-FRONTIÈRE. UN SECRÉTAIRE. HOMMES. FEMMES. ENFANTS.

1

GALILEO GALILEI, PROFESSEUR DE MATHÉMATIQUE À PADOUE, VEUT DÉMONTRER LE NOUVEAU SYSTÈME DU MONDE DE COPERNIC.

> En l'an de grâce seize cent neuf à Padoue
> La clarté du savoir jaillit d'un pauvre bouge.
> Galileo Galilei calcula tout :
> Ce n'est pas le soleil mais la terre qui bouge.

Le modeste cabinet de travail de Galilée à Padoue. C'est le matin. Un jeune garçon, Andrea, fils de la gouvernante, apporte un verre de lait et un petit pain.

GALILÉE, *se lavant le torse, s'ébrouant, joyeux.* Pose le lait sur la table mais ne ferme aucun livre.

ANDREA. Mère dit que nous devons payer le laitier. Autrement il finira par contourner la maison, monsieur Galilée.

GALILÉE. Dis plutôt qu'il décrira un cercle, Andrea.

ANDREA. Comme vous voulez. Si nous ne payons pas, il décrira un cercle autour de nous, monsieur Galilée.

GALILÉE. Tandis que l'huissier Cambionc viendra tout droit sur nous, choisissant par conséquent quel chemin entre deux points ?

ANDREA, *riant.* Le plus court.

GALILÉE. Bien. J'ai quelque chose pour toi. Regarde derrière les tables astronomiques.

Andrea tire de derrière les tables astronomiques un grand modèle en bois du système de Ptolémée.

ANDREA. Qu'est-ce que c'est ?

GALILÉE. Un astrolabe ; l'objet montre comment,

d'après les Anciens, les astres se déplacent autour de la terre.

ANDREA. Et comment ?

GALILÉE. Étudions-le. Premièrement, premier point : description.

ANDREA. Au milieu, il y a une petite pierre.

GALILÉE. C'est la terre.

ANDREA. Tout autour, toujours l'un par-dessus l'autre, des anneaux.

GALILÉE. Combien ?

ANDREA. Huit.

GALILÉE. Ce sont les sphères de cristal.

ANDREA. Sur les anneaux sont fixées des boules...

GALILÉE. Les astres.

ANDREA. Il y a aussi des rubans et dessus des mots peints.

GALILÉE. Quels mots ?

ANDREA. Des noms d'étoiles.

GALILÉE. Comme par exemple ?

ANDREA. La boule tout en bas, c'est la lune, c'est écrit. Et au-dessus il y a le soleil.

GALILÉE. Et maintenant, fais tourner le soleil.

ANDREA, *met en mouvement les sphères.* C'est beau. Mais nous sommes si à l'étroit.

GALILÉE, *en s'essuyant.* Oui, j'ai ressenti ça aussi quand j'ai vu l'objet pour la première fois. D'autres le ressentent. *Il lance la serviette à Andrea pour qu'il lui frotte le dos.* Des murs, des sphères et l'immobilité ! Durant deux mille ans l'humanité a cru que le soleil et tous les corps célestes tournaient autour d'elle. Le pape, les cardinaux, les princes, les savants, les capitaines, les marchands, les poissonnières et les écoliers, tous croyaient être immobiles dans cette sphère de cristal. Or maintenant, nous gagnons le large, Andrea, le grand large. Car l'ancien temps est passé, et voici un temps nouveau. Cela fait cent ans que l'humanité semble attendre quelque chose.

Les villes sont étroites et les têtes le sont aussi. Peste et superstition. Or voici qu'on dit désormais : puisqu'il en est ainsi, qu'il n'en soit plus ainsi. Car tout bouge, mon ami. Il me plaît de penser que tout a commencé avec les bateaux. De mémoire d'homme, ils n'avaient fait que ramper le long des côtes et soudain ils les ont délaissées pour s'en aller par toutes les mers.

Sur notre vieux continent, une rumeur est née : il y aurait d'autres continents. Et depuis que nos bateaux s'y rendent, le bruit court par les continents hilares que le grand océan redouté est une flaque d'eau. Et voici qu'un grand désir est advenu d'explorer les causes de toutes choses : pourquoi tombe la pierre qu'on laisse échapper, et comment s'élève-t-elle quand on la jette en l'air ? Chaque jour connaît sa découverte. Même les vieillards centenaires se font crier par les jeunes à l'oreille ce qu'on a découvert de neuf.

Il a été trouvé beaucoup déjà, mais davantage encore peut l'être. Et ainsi toujours il y a de quoi faire pour les générations nouvelles.

À Sienne, étant jeune, j'ai vu des gens du bâtiment changer, après une discussion de cinq minutes, une coutume millénaire de déplacer les blocs de granit grâce à un agencement nouveau et plus efficace des cordages. Là, en cet instant-là, je l'ai su : l'ancien temps est passé, voici un temps nouveau. Bientôt l'humanité saura ce qu'il en est de sa demeure, ce corps céleste où elle réside. Ce qui est écrit dans les livres anciens ne lui suffit plus.

Car là où la croyance était installée depuis mille ans, là maintenant le doute s'installe. Tout le monde dit :

oui, c'est écrit dans les livres, mais allons maintenant voir par nous-mêmes. D'une tape sur l'épaule on congédie les vérités les plus fêtées ; ce dont on ne doutait jamais, maintenant on en doute.

De là est né ce courant d'air qui soulève même les robes brodées d'or des princes et des prélats, dévoilant des jambes grasses ou maigres, des jambes comme nos jambes. Il est apparu que les cieux sont vides. Alors un rire joyeux retentit.

Or voici que l'eau de la terre fait marcher les nouveaux rouets et dans les chantiers navals, dans les fabriques de cordages et de voiles, cinq cents mains s'agitent en même temps selon un nouvel agencement.

Je prédis que, de notre vivant, on parlera d'astronomie sur les marchés. Même les fils des poissonnières se rendront en courant dans les écoles. Car il plaira à ces hommes de nos villes, avides de nouveautés, qu'une astronomie nouvelle fasse aussi mouvoir la terre. On avait toujours dit que les astres étaient fixés sur une voûte de cristal pour qu'ils ne puissent pas tomber. Maintenant nous avons pris courage et nous les laissons en suspens dans l'espace, sans soutien, et ils gagnent le large comme nos bateaux, sans soutien, au grand large. Et la terre roule joyeusement autour du soleil, et les poissonnières, les marchands, les princes, les cardinaux et même le pape roulent avec elle.

Mais l'univers, en l'espace d'une nuit, a perdu son centre et au matin, il en avait d'innombrables. Si bien que désormais le centre peut être considéré partout puisqu'il est nulle part.

Et nous voilà soudain avec beaucoup de place.

Nos bateaux s'en vont au loin, nos astres dérivent dans l'espace, au loin, même les tours du jeu d'échecs depuis peu se déplacent loin par-dessus l'échiquier.

Comment dit le poète ? « Ô tôt matin du commencement !... »

ANDREA.

« Ô tôt matin du commencement !
  Ô souffle du vent, qui vient
  Des rives nouvelles ! »

Et il faut boire votre lait car après, il y a des gens qui vont venir encore.

GALILÉE. Ce que je t'ai dit hier, l'as-tu compris depuis ?

ANDREA. Quoi ? L'histoire de Kippernic avec la rotation ?

GALILÉE. Oui.

ANDREA. Non. Pourquoi voulez-vous que je comprenne ? C'est très difficile et je vais avoir seulement onze ans en octobre.

GALILÉE. Justement, je veux que toi aussi tu le comprennes. C'est pour ça, pour qu'on le comprenne, que je travaille et que j'achète ces livres coûteux au lieu de payer le laitier.

ANDREA. Mais je le vois, que le soleil, le soir, s'arrête ailleurs que le matin. Avec ça, il ne peut pas être immobile ! Jamais de la vie.

GALILÉE. Tu vois ! Qu'est-ce que tu vois ? Tu ne vois rien du tout. Tu écarquilles les yeux, c'est tout. Écarquiller n'est pas voir. *Il pose le trépied en fer de la cuvette au milieu de la chambre.* Ceci est le soleil, donc. Assieds-toi. *Andrea s'assied sur une des chaises. Galilée est debout derrière lui.* Où est le soleil, à droite ou à gauche ?

ANDREA. À gauche.

GALILÉE. Et comment ira-t-il à droite ?

ANDREA. Si vous le transportez à droite, naturellement.

GALILÉE. Seulement de cette manière ? *Il le soulève*

avec la chaise et accomplit avec lui une demi-rotation. Où est maintenant le soleil ?

ANDREA. À droite.

GALILÉE. Et il a bougé ?

ANDREA. Ça non.

GALILÉE. Qu'est-ce qui a bougé ?

ANDREA. Moi.

GALILÉE *hurle*. Faux ! Idiot ! La chaise !

ANDREA. Mais moi avec elle !

GALILÉE. Évidemment. La chaise c'est la terre. Tu es assis dessus.

MADAME SARTI *est entrée pour faire le lit. Elle les a observés.* Que faites-vous donc avec mon garçon, monsieur Galilée ?

GALILÉE. Je lui apprends à voir, Sarti.

MADAME SARTI. En le transbahutant à travers la chambre ?

ANDREA. Laisse, mère. Tu ne peux pas comprendre.

MADAME SARTI. Ah bon ? Mais toi, tu comprends par contre ? Un jeune monsieur, qui désire des leçons. Très bien habillé, et il apporte une lettre de recommandation. *Elle la donne.* Vous allez entraîner Andrea si loin qu'il finira par soutenir que deux et deux font cinq. Il confond déjà tout ce que vous lui dites. Hier soir, il m'a même soutenu déjà que la terre tourne autour du soleil. Il est persuadé qu'un monsieur du nom de Kippernik l'a calculé.

ANDREA. Est-ce qu'il ne l'a pas calculé, Kippernik, monsieur Galilée ? Dites-le-lui vous-même.

MADAME SARTI. Quoi, vous lui dites vraiment de pareilles sottises ? Pour qu'il papote à l'école et que ces messieurs du clergé viennent me voir parce qu'il débite des tas de choses pas saintes. Vous devriez avoir honte, monsieur Galilée.

GALILÉE, *prenant son petit déjeuner.* Suite à nos recherches, madame Sarti, nous avons, Andrea et moi, après une violente dispute, fait des découvertes que nous ne pouvons pas plus longtemps cacher au monde. Un temps nouveau a commencé, une époque de grandeur où c'est un plaisir que de vivre.

MADAME SARTI. Ah bon. J'espère que nous pourrons aussi payer le laitier dans ce temps nouveau, monsieur Galilée. *Désignant la lettre de recommandation.* Faites-moi cet unique plaisir, ne renvoyez pas celui-ci. Je pense à la note du laitier. *Elle sort.*

GALILÉE, *en riant.* Laissez-moi au moins finir mon lait ! *À Andrea.* Alors nous avons tout de même compris certaines choses hier !

ANDREA. J'ai seulement dit ça pour l'étonner. Mais au fond ce n'est pas vrai. La chaise, et moi avec, vous l'avez seulement tournée sur elle-même, de côté, et pas comme ça. *Il fait un mouvement de bascule du bras vers l'avant.* Parce qu'autrement je serais tombé et ça c'est un fait. Pourquoi vous n'avez pas basculé la chaise en avant ? Parce qu'alors il serait démontré que je tomberais de la terre également si elle tournait ainsi. Et voilà pour vous.

GALILÉE. Je t'ai pourtant démontré...

ANDREA. Mais cette nuit j'ai découvert qu'alors moi, si la terre tournait ainsi, la nuit, je pendrais la tête en bas. Et ça c'est un fait.

GALILÉE *prend une pomme sur la table.* Ceci est donc la terre.

ANDREA. Ne prenez pas toujours des exemples comme ça, monsieur Galilée. Avec ça vous y arrivez toujours.

GALILÉE, *reposant la pomme.* Bien.

ANDREA. Avec des exemples, on y arrive toujours si on est malin. Seulement moi, je ne peux pas transbahuter ma mère sur une chaise comme vous faites

15

avec moi. Vous voyez bien que c'est un mauvais exemple. Et qu'est-ce qui se passe si la pomme est la terre ? Il ne se passe rien du tout.

GALILÉE *rit.* Puisque tu ne veux pas le savoir.

ANDREA. Reprenez-la. Pourquoi je ne pends pas la tête en bas, la nuit ?

GALILÉE. Donc voici la terre et là c'est toi debout. *Il pique dans la pomme une écharde de bois provenant d'une bûche.* Et maintenant la terre tourne.

ANDREA. Et maintenant je pends la tête en bas.

GALILÉE. Pourquoi ? Regarde bien ! Où est la tête ?

ANDREA *montre un point sur la pomme.* Là. En bas.

GALILÉE. Quoi ? *Il retourne la pomme.* Elle n'est peut-être pas au même endroit ? Est-ce que les pieds ne sont plus en bas ? Quand je tourne, tu te tiens peut-être comme ça ?

Il dépique l'écharde et la retourne.

ANDREA. Non. Et pourquoi je ne m'aperçois pas qu'elle tourne ?

GALILÉE. Parce que tu tournes avec elle ! Toi et l'air au-dessus de toi et tout ce qui est sur la boule.

ANDREA. Et pourquoi le soleil a l'air de bouger ?

GALILÉE *tourne de nouveau la pomme avec l'écharde.* Donc, sous toi tu vois la terre qui reste la même, elle est toujours sous tes pieds et pour toi elle ne bouge pas. Et maintenant, regarde au-dessus de toi. Actuellement la lampe est au-dessus de ta tête. Mais maintenant, ayant tourné, qu'est-ce qui, maintenant, est au-dessus de ta tête, donc en haut ?

ANDREA *suit le mouvement.* Le poêle.

GALILÉE. Et où est la lampe ?

ANDREA. En bas.

GALILÉE. Ah !

ANDREA. Ça c'est beau. Ça va l'étonner.

Entre Ludovico Marsili, jeune homme riche.

16

GALILÉE. On entre ici comme dans un moulin.

LUDOVICO. Bonjour, monsieur. Mon nom est Ludovico Marsili.

GALILÉE, *étudiant sa lettre de recommandation*. Vous étiez en Hollande ?

LUDOVICO. Où j'ai beaucoup entendu parler de vous, monsieur Galilée.

GALILÉE. Votre famille a des terres en Campanie ?

LUDOVICO. Ma mère souhaitait que je regarde un peu autour de moi ce qu'il y a dans le monde, et caetera.

GALILÉE. Et vous avez entendu dire en Hollande qu'en Italie par exemple, il y a moi ?

LUDOVICO. Et comme ma mère souhaite que je regarde autour de moi dans les sciences aussi...

GALILÉE. Leçons particulières : dix écus par mois.

LUDOVICO. Très bien, monsieur.

GALILÉE. Qu'est-ce qui vous intéresse ?

LUDOVICO. Les chevaux.

GALILÉE. Ah !

LUDOVICO. Je n'ai pas la tête faite pour les sciences, monsieur Galilée.

GALILÉE. Ah ! Dans ces conditions, ce sera quinze écus par mois.

LUDOVICO. Très bien, monsieur Galilée.

GALILÉE. Je vais devoir vous prendre le matin tôt. C'est toi qui en feras les frais, Andrea. Je ne pourrai naturellement plus m'occuper de toi. Tu comprends, tu ne payes rien.

ANDREA. Ça va, je m'en vais. Je peux emporter la pomme ?

GALILÉE. Oui.

Andrea sort.

LUDOVICO. Il vous faudra être patient avec moi. D'autant plus que dans les sciences c'est toujours différent de ce que nous dit le bon sens. Prenez par exemple ce drôle de tube qu'ils vendent à Amsterdam. Je l'ai bien examiné. Un étui en cuir vert et deux lentilles, une comme ça – *il indique une lentille concave* –, une comme ça – *il indique une lentille convexe*. J'entends dire que l'une agrandit et que l'autre rapetisse. Tout homme raisonnable penserait qu'elles se compensent. Faux. On voit tout cinq fois plus grand à travers cet objet. Voilà votre science.

GALILÉE. Qu'est-ce qu'on voit cinq fois plus grand ?

LUDOVICO. Des clochers, des pigeons ; tout ce qui est loin.

GALILÉE. Avez-vous vu vous-même de ces clochers agrandis ?

LUDOVICO. Oui, monsieur Galilée.

GALILÉE. Et le tube avait deux lentilles ? *Il trace une esquisse sur une feuille.* Ça ressemblait à cela ? *Ludovico acquiesce.* De quand date l'invention ?

LUDOVICO. Je crois qu'elle n'avait pas plus de quelques jours quand j'ai quitté la Hollande, en tout cas elle n'était pas depuis plus longtemps sur le marché.

GALILÉE, *presque gentiment.* Et pourquoi faut-il que ce soit la physique ? Pourquoi pas l'élevage de chevaux ?

Entre madame Sarti, inaperçue de Galilée.

LUDOVICO. Ma mère pense qu'un peu de science est nécessaire. Tout le monde aujourd'hui met de la science dans son vin, vous savez.

GALILÉE. Vous pourriez aussi bien choisir une langue morte ou la théologie. C'est plus facile. *Il aperçoit madame Sarti.* Bon, venez mardi matin.

Ludovico s'en va.

GALILÉE. Ne me regarde pas comme ça. Je l'ai accepté.

MADAME SARTI. Parce que tu m'as vue à temps. Le curateur de l'université est là-dehors.

GALILÉE. Fais-le entrer, celui-là est important. Ce sont

peut-être cinq cents écus. Alors je n'aurai plus besoin d'élèves.

Madame Sarti introduit le curateur. Galilée finit de s'habiller tout en griffonnant des chiffres sur un bout de papier.

GALILÉE. Bonjour, prêtez-moi un demi-écu. *Il donne à madame Sarti la pièce que le curateur extrait de sa bourse.* Sarti, envoyez Andrea chercher deux lentilles chez le lunetier ; voici les mesures.

Madame Sarti sort avec le papier.

LE CURATEUR. Je viens au sujet de votre requête concernant une augmentation qui porterait à mille écus votre salaire. Malheureusement, je ne peux pas l'appuyer auprès de l'université. Vous savez, les cours de mathématique, c'est ainsi, ne suscitent pas l'affluence à l'université. La mathématique est pour ainsi dire un art peu lucratif. Ce n'est pas que notre République ne l'estime pas par-dessus tout. Elle n'est pas aussi nécessaire que la philosophie ni aussi utile que la théologie, mais elle procure, il est vrai, aux connaisseurs des plaisirs si infinis !

GALILÉE, *dans ses papiers*. Mon bon monsieur, je ne m'en sors pas avec cinq cents écus.

LE CURATEUR. Mais, monsieur Galilée, vous enseignez deux fois deux heures par semaine. Votre exceptionnelle renommée vous procure certainement des élèves à volonté qui peuvent payer pour des leçons particulières. N'avez-vous pas d'élèves particuliers ?

GALILÉE. Monsieur, j'en ai trop ! J'enseigne, oui, j'enseigne, et quand puis-je apprendre ? Grand Dieu, je ne suis pas aussi savantissime que ces messieurs de la Faculté de Philosophie. Je suis bête. Je ne comprends rien à rien. Je suis donc forcé de boucher les trous de mon savoir. Et quand puis-je le faire ? Quand puis-je faire des recherches ? Monsieur, ma science a soif encore de savoir ! Sur les plus grands problèmes nous n'avons aujourd'hui rien que des hypothèses. Mais nous exigeons de nous-mêmes des preuves. Et comment puis-je alors avancer si je suis forcé, pour faire marcher mon ménage, d'inculquer au premier imbécile venu qui peut se le payer que les parallèles se coupent en infini ?

LE CURATEUR. N'oubliez pas tout à fait que notre République ne paye peut-être pas autant que payent certains princes, mais qu'elle garantit la liberté de la recherche. Nous, à Padoue, nous acceptons même comme auditeurs des protestants ! Et nous leur conférons le titre de docteur. Non seulement nous n'avons pas livré monsieur Cremonini à l'Inquisition quand on nous a prouvé, prouvé, monsieur Galilée, qu'il tenait des propos irréligieux, mais nous avons même consenti à augmenter son salaire. Jusqu'en Hollande on sait que Venise est la République où l'Inquisition n'a pas son mot à dire. Et cela n'est pas négligeable pour vous qui êtes astronome, agissant de ce fait dans un domaine où depuis un certain temps la doctrine de l'Église n'est plus considérée avec le respect qu'on lui doit !

GALILÉE. Alors qu'il était ici, vous avez livré monsieur Giordano Bruno à Rome. Parce qu'il progageait l'enseignement de Copernic.

LE CURATEUR. Non pas parce qu'il propageait l'enseignement de Copernic qui par ailleurs est faux, mais parce qu'il n'était pas vénitien et n'avait pas non plus de poste ici. Vous pouvez donc laisser le supplicié hors de la dispute. Soit dit en passant, ici aussi, oui même ici, malgré toute cette liberté, il est tout de même conseillé de ne pas crier aussi fort à tout vent un tel nom sur lequel pèse l'anathème exprès de l'Église.

GALILÉE. Protéger la liberté de pensée est pour vous une bonne affaire, n'est-ce pas ? En rappelant qu'ailleurs l'Inquisition règne et brûle, vous obtenez ici à bon marché de bons professeurs. Vous vous dédommagez de cette protection contre l'Inquisition en payant les plus bas salaires.

LE CURATEUR. Injuste ! Injuste ! À quoi vous servirait-il d'avoir on ne sait quel temps libre pour la recherche si un quelconque moine inculte de l'Inquisition pouvait tout simplement interdire vos pensées ? Pas de roses sans épines, pas de princes sans moines, monsieur Galilée !

GALILÉE. Et à quoi sert une libre recherche sans temps libre pour chercher ? Qu'advient-il des résultats ? Peut-être pourriez-vous montrer un jour à ces messieurs de la Signoria mes études sur les lois de la chute des corps – *il désigne une liasse de manuscrits –* et leur demander si cela ne vaut pas quelques écus de plus !

LE CURATEUR. Cela vaut infiniment plus, monsieur Galilée.

GALILÉE. Non pas infiniment plus, mais cinq cents écus de plus, monsieur.

LE CURATEUR. Ne vaut tant que ce qui rapporte tant. Si vous voulez avoir de l'argent, il vous faudra exhiber autre chose. Pour le savoir que vous vendez, vous ne pouvez demander qu'autant que cela rapporte à qui vous l'achète. Par exemple, la philosophie qu'à Florence vend monsieur Colombe, rapporte au Prince au moins dix mille écus par an. Vos lois sur la chute des corps ont fait beaucoup de bruit, certes. On vous applaudit à Paris et à Prague. Mais les messieurs qui applaudissent là-bas ne payent pas à l'université de

Padoue ce que vous lui coûtez. Votre discipline est votre malheur, monsieur Galilée.

GALILÉE. Je comprends : libre commerce, libre recherche. Libre commerce avec la recherche, n'est-ce pas ?

LE CURATEUR. Mais monsieur Galilée ! Quelle façon de voir ! Permettez-moi de vous dire que je ne comprends pas tout à fait vos plaisantes remarques. Le commerce florissant de la République ne me semble pas vraiment quelque chose de méprisable. Encore moins pourrais-je, moi, curateur de l'université depuis si longtemps, parler de la recherche sur ce ton, permettez-moi de le dire, si frivole. *Tandis que Galilée jette des regards pleins d'envie à sa table de travail.* Réfléchissez à l'état des choses alentour ! À l'esclavage sous le fouet duquel les sciences gémissent en certains lieux ! Dans le cuir des vieux in-folio on a taillé des fouets. Ailleurs, on n'a pas à savoir comment la pierre tombe, mais ce qu'en dit Aristote. Les yeux n'y servent qu'à lire. À quoi bon de nouvelles lois qui décrivent comment les corps tombent, si seules importent les lois qui prescrivent comment tomber à genoux. Opposez à tout cela la joie infinie avec laquelle notre République accueille vos idées, aussi hardies soient-elles ! Ici vous pouvez faire vos recherches ! Ici vous pouvez travailler ! Personne ne vous surveille, personne ne vous opprime ! Nos marchands, qui savent ce que signifie un meilleur drap de lin pour lutter contre la concurrence de Florence, écoutent avec intérêt votre appel : « Pour une physique meilleure ! » et combien est redevable la physique à ceux qui réclament de meilleurs métiers à tisser ! Nos citoyens les plus éminents s'intéressent à vos recherches, vous rendent visite, se font présenter vos découvertes – des gens dont le temps est précieux. Ne méprisez pas le commerce, monsieur Galilée. Personne ici ne souffrirait que votre travail soit troublé si peu que ce soit, que des gens incompétents vous créent des difficultés. Convenez, monsieur Galilée, qu'ici vous pouvez travailler.

GALILÉE, *au désespoir.* Oui.

LE CURATEUR. Et pour ce qui est de l'aspect matériel : faites donc encore à l'occasion quelque chose d'aussi joli que votre magnifique compas de proportion, avec lequel on peut – *il compte sur ses doigts –*, sans aucune connaissance mathématique, tirer des lignes, calculer les intérêts composés d'un capital, reproduire en augmentant ou en diminuant d'échelle les plans de bâtiments et définir le poids des boulets de canon.

GALILÉE. Une broutille.

LE CURATEUR. Une chose qui a ravi ces messieurs les plus haut placés et les a jetés dans l'étonnement et qui a rapporté de l'argent liquide, vous appelez ça une broutille. J'ai entendu dire que même le général Stefano Gritti sait extraire des racines carrées avec cet instrument-là !

GALILÉE. Une vraie merveille ! Malgré tout, Priuli, vous m'avez donné à réfléchir. Priuli, j'ai peut-être quelque chose pour vous dans ce genre-là. *Il se saisit de la feuille avec l'esquisse.*

LE CURATEUR. Vraiment ? Ce serait la solution. *Il se lève.* Monsieur Galilée, nous savons que vous êtes un grand homme. Un grand homme, mais insatisfait, si je puis m'exprimer ainsi.

GALILÉE. Oui, je suis insatisfait, et c'est pourquoi vous me donneriez de l'argent si vous étiez avisés. Car je suis insatisfait de moi. Mais au lieu de cela, vous faites en sorte que je le sois de vous. Je l'avoue, cela m'amuse, messieurs les Vénitiens, de bien accomplir ma tâche dans votre célèbre arsenal, dans vos chantiers navals et vos magasins d'artillerie. Mais vous ne me laissez pas le temps de poursuivre plus avant les spéculations qui s'imposent à moi là-bas, et qui touchent au champ de mon savoir. Vous bâillonnez le bœuf qui bat le grain. J'ai quarante-six ans et n'ai rien fait qui me satisfasse.

LE CURATEUR. Alors je ne vais pas vous déranger plus longtemps.

GALILÉE. Merci.

Le curateur sort. Galilée reste un moment seul et commence à travailler. Andrea arrive en courant.

GALILÉE, *tout en travaillant.* Pourquoi n'as-tu pas mangé la pomme ?

ANDREA. Mais parce qu'avec ça je lui montre qu'elle tourne.

GALILÉE. Il faut que je te dise quelque chose, Andrea : ne parle pas aux autres gens de nos idées.

ANDREA. Pourquoi ?

GALILÉE. L'Autorité l'interdit.

ANDREA. Mais c'est pourtant la vérité.

GALILÉE. Mais elle l'interdit. Dans le cas présent, s'y ajoute autre chose. Nous, physiciens, ne pouvons toujours pas démontrer ce que nous tenons pour vrai. Même la théorie du grand Copernic n'est pas encore démontrée. Elle n'est qu'une hypothèse. Donne-moi les lentilles.

ANDREA. Le demi-écu n'a pas suffi. J'ai dû laisser mon manteau. En gage.

GALILÉE. Que feras-tu l'hiver, sans manteau ?

Un temps. Galilée dispose les lentilles sur la feuille où il y a l'esquisse.

ANDREA. C'est quoi, une hypothèse ?

GALILÉE. C'est quand on suppose vraisemblable quelque chose mais qu'on n'a pas de preuves matérielles. Que la Felice, en bas devant le magasin du vannier, avec son enfant au sein, donne du lait à l'enfant et non l'inverse, c'est une hypothèse tant qu'on ne peut pas y aller voir et le démontrer. Devant les astres nous sommes comme des vermisseaux aux yeux rongés de pleurs qui ne voient que très peu. Les vieilles théories auxquelles on a cru pendant mille ans sont devenues totalement vétustes ; il y a moins de bois dans la construction de ces immenses bâtisses que dans les échafaudages censés les retenir. Beaucoup de lois pour expliquer peu de choses là où la nouvelle hypothèse avec peu de lois explique beaucoup de choses.

ANDREA. Mais vous m'avez tout démontré.

GALILÉE. Seulement qu'il peut en être ainsi. Tu comprends, l'hypothèse est très belle, et rien ne s'y oppose.

ANDREA. Moi aussi je veux devenir physicien, monsieur Galilée.

GALILÉE. Je le crois volontiers, vu l'immensité des questions qu'il reste à éclaircir dans notre domaine. *Il est allé à la fenêtre et a regardé à travers les lentilles. Moyennement intéressé.* Viens voir un peu à travers ça, Andrea.

ANDREA. Sainte Vierge, tout se rapproche. La cloche du campanile, toute proche. Je peux même lire les lettres de cuivre : « Gratia Dei ».

GALILÉE. Cela nous rapportera cinq cents écus.

2

GALILÉE REMET À LA RÉPUBLIQUE DE VENISE UNE NOU-
VELLE INVENTION.

> Ce que fait un grand homme n'est pas toujours grand
> Et Galilée était gourmand.
> Voici sans tambour ni trompette
> La vérité sur la lunette.

Le grand arsenal de Venise, près du port. Des membres
du Conseil avec à leur tête le doge. Sur le côté,
Sagredo, l'ami de Galilée et Virginia Galilei, âgée de
quinze ans, qui tient un coussin de velours sur lequel
repose une lunette d'environ soixante centimètres dans
un étui de cuir carmin. Sur une estrade, Galilée. Der-
rière lui, le trépied pour la lunette, dont s'occupe
Federzoni, le polisseur de lentilles.

GALILÉE. Votre Excellence, éminente Signoria ! En tant
que professeur de mathématique à votre université
de Padoue et en tant que directeur de votre grand
arsenal, ici à Venise, j'ai toujours considéré qu'il
était de mon devoir, non seulement de satisfaire à
ma haute charge professorale, mais encore, de procurer par des inventions utiles des avantages excep-
tionnels à la République de Venise. Avec une joie
profonde et toute l'humilité qui vous est due, je puis
aujourd'hui vous présenter et vous remettre un instrument absolument nouveau, ma lunette ou télé-
scope, fabriqué selon les plus hauts principes scientifiques et chrétiens, dans votre grand arsenal célèbre
dans le monde entier, fruit de la recherche patiente
de dix-sept années de votre humble serviteur. *Galilée*

quitte l'estrade et se place à côté de Sagredo.
Applaudissements. Galilée s'incline.

GALILÉE, *à voix basse à Sagredo.* Temps perdu !

SAGREDO, *à voix basse.* Tu vas pouvoir payer ton boucher, mon vieux.

GALILÉE. Oui, ça va leur rapporter de l'argent.
Il s'incline à nouveau.

LE CURATEUR *monte sur l'estrade.* Excellence, éminente Signoria ! Une fois de plus, une page glorieuse du grand livre des arts se couvre de caractères vénitiens. *Applaudissements polis.* Un savant de renommée mondiale vous remet ici, à vous et à vous seuls, un tube hautement commercialisable afin que vous le fabriquiez et le lanciez sur le marché tout comme il vous plaira. *Applaudissements plus appuyés.* Et avez-vous songé qu'au moyen de cet instrument nous pourrons en temps de guerre reconnaître le nombre et le genre des bateaux de l'ennemi deux bonnes heures avant qu'il ne puisse le faire des nôtres, et qu'ainsi nous pourrons, sachant sa force, nous décider à le poursuivre, le combattre ou le fuir ? *Applaudissements très appuyés.* Et maintenant, Excellence, éminente Signoria, monsieur Galilée vous prie de recevoir, des mains de sa charmante fille, cet instrument de son invention, ce témoignage de son intuition.
Musique. Virginia s'avance, s'incline, remet la lunette au curateur qui la remet à Federzoni. Federzoni la pose sur le trépied et la règle. Le doge et les conseillers montent sur l'estrade et regardent à travers la lunette.

GALILÉE, *à voix basse.* Je ne peux pas te promettre que je supporterai jusqu'au bout ce carnaval. Ces gens-là s'imaginent avoir reçu un joujou qui va leur rapporter mais c'est bien davantage. La nuit dernière j'ai pointé cette lunette en direction de la lune.

SAGREDO. Et qu'as-tu vu ?

GALILÉE. Elle ne brille pas par elle-même.

SAGREDO. Quoi ?

LES CONSEILLERS. Je peux voir les fortifications de Santa Rosita, monsieur Galilée. Sur le bateau là-bas, ils déjeunent. Poisson grillé. Cela vous ouvre l'appétit.

GALILÉE. Je te le dis, l'astronomie depuis mille ans n'avançait plus, parce qu'on n'avait pas de lunette.

UN CONSEILLER. Monsieur Galilée !

SAGREDO. C'est à toi qu'on s'adresse.

UN CONSEILLER. On voit trop bien avec cette chose. Je vais devoir dire à mes dames que le bain sur la terrasse, ça n'est plus possible.

GALILÉE. Sais-tu de quoi est faite la voie lactée ?

SAGREDO. Non.

GALILÉE. Moi je le sais.

UN CONSEILLER. Pour un machin pareil, on peut bien demander dix écus, monsieur Galilée. *Galilée s'incline.*

VIRGINIA *conduit Ludovico à son père.* Ludovico veut te féliciter, père.

LUDOVICO, *gêné.* Félicitations, monsieur.

GALILÉE. Je l'ai améliorée.

LUDOVICO. Certainement, monsieur. J'ai vu que vous aviez fait l'étui rouge. En Hollande, il était vert.

GALILÉE *se tourne vers Sagredo.* Je me demande même si, avec cet objet, je ne pourrais pas démontrer une certaine théorie.

SAGREDO. Contiens-toi.

LE CURATEUR. Vos cinq cents écus sont dans la poche, Galilée.

GALILÉE, *sans lui porter attention.* Je me méfie naturellement beaucoup de toute déduction hâtive.

Le doge, un homme gros et modeste, s'est approché de

Galilée et cherche à l'aborder avec une maladroite dignité.

LE CURATEUR. Monsieur Galilée, son Excellence, le doge.
Le doge serre énergiquement la main de Galilée.

GALILÉE. Ah oui bien sûr, les cinq cents écus ! Êtes-vous satisfait, Excellence ?

LE DOGE. Malheureusement, dans notre République, nous avons toujours besoin d'un prétexte vis-à-vis de nos édiles, pour qu'il nous soit possible d'attribuer une quelconque somme à nos savants.

LE CURATEUR. D'un autre côté, où serait sans cela l'aiguillon, monsieur Galilée ?

LE DOGE, *souriant*. Nous avons besoin du prétexte.
Le doge et le curateur conduisent Galilée auprès des conseillers qui l'entourent. Virginia et Ludovico s'éloignent lentement.

VIRGINIA. Je l'ai fait comme il faut ?

LUDOVICO. Comme il faut, oui.

VIRGINIA. Qu'est-ce qu'il y a ?

LUDOVICO. Oh, rien. Un étui vert aurait peut-être été aussi bien.

VIRGINIA. Je crois qu'ils sont tous très satisfaits de mon père.

LUDOVICO. Et moi je crois que je commence à comprendre quelque chose à la science.

3

10 JANVIER 1610 : AU MOYEN DE LA LUNETTE, GALILÉE
DÉCOUVRE DANS LE CIEL DES PHÉNOMÈNES QUI CONFIRMENT
LE SYSTÈME DE COPERNIC. AVERTI PAR SON AMI DES CONSÉ-
QUENCES POSSIBLES DE SES RECHERCHES, GALILÉE TÉMOI-
GNE DE SA FOI EN LA RAISON HUMAINE.

> Le dix janvier seize cent dix, Galileo Galilei
> voit que le ciel est aboli.

*Le cabinet de travail de Galilée à Padoue. La nuit. Galilée
et Sagredo, enveloppés dans d'épais manteaux, à la
lunette.*

SAGREDO, *regardant à travers la lunette, à mi-voix.* Le
  bord du croissant est tout à fait irrégulier, dentelé et
  plein d'aspérités. Dans la partie sombre, à proximité
  du bord lumineux, apparaissent l'un après l'autre des
  points lumineux. Partant de ces points la lumière se
  répand, gagnant de plus larges espaces, finissant par
  rejoindre la plus grande partie lumineuse.
GALILÉE. Comment t'expliques-tu ces points lumineux ?
SAGREDO. Cela ne peut pas être.
GALILÉE. Et pourtant si. Ce sont des montagnes.
SAGREDO. Sur une étoile ?
GALILÉE. De gigantesques montagnes. Leurs cimes sont
  dorées par le soleil levant tandis qu'autour les versants
  sont plongés dans la nuit. Tu vois la lumière descendre
  des plus hauts sommets vers les vallées.
SAGREDO. Mais cela contredit deux mille ans d'astrono-
  mie.
GALILÉE. Exactement. Ce que tu vois, aucun homme
  encore ne l'a vu, excepté moi. Tu es le second.

SAGREDO. Mais la lune ne peut pas être une terre avec des montagnes et des vallées, pas plus que la terre ne peut être une étoile.

GALILÉE. La lune peut être une terre avec des montagnes et des vallées et la terre peut être une étoile. Un corps céleste ordinaire, un parmi des milliers. Regarde encore une fois. La partie sombre de la lune t'apparaît-elle tout à fait sombre ?

SAGREDO. Non. Maintenant que j'y prête attention, je vois qu'elle est couverte d'une faible lumière couleur de cendre.

GALILÉE. D'où peut bien venir cette lumière ?

SAGREDO. ?

GALILÉE. Elle vient de la Terre.

SAGREDO. C'est absurde. Comment la Terre, avec ses montagnes et ses forêts et ses eaux, pourrait-elle être lumineuse – un corps froid ?

GALILÉE. Tout comme la lune est lumineuse. Parce que ces deux astres sont illuminés par le soleil, c'est pourquoi ils sont lumineux. Ce que la lune est pour nous, nous le sommes pour la lune. Et elle nous voit tantôt comme un croissant, tantôt comme une demi-lune, tantôt pleine et tantôt pas du tout.

SAGREDO. Ainsi il n'y aurait pas de différence entre la lune et la Terre ?

GALILÉE. Apparemment pas.

SAGREDO. Il n'y a pas dix ans qu'un homme a été brûlé à Rome. Il s'appelait Giordano Bruno et il avait précisément soutenu cela.

GALILÉE. Certes. Et nous, nous le voyons. Garde ton œil rivé à la lunette, Sagredo. Ce que tu vois, c'est qu'il n'y a pas de différence entre le ciel et la Terre. Aujourd'hui, dix janvier 1610, l'humanité inscrit dans son journal : ciel aboli.

SAGREDO. C'est effroyable.

GALILÉE. J'ai découvert une autre chose encore. Encore plus étonnante peut-être.

MADAME SARTI *entre*. Le curateur.

Le curateur entre précipitamment.

LE CURATEUR. Excusez l'heure tardive. Je vous serais très obligé si je pouvais vous parler seul.

GALILÉE. Tout ce qu'il m'est possible d'entendre, monsieur Sagredo peut l'entendre, monsieur Priuli.

LE CURATEUR. Mais il ne vous sera peut-être pas agréable malgré tout que ce monsieur entende ce qui s'est passé. C'est une chose, hélas, tout à fait incroyable.

GALILÉE. Monsieur Sagredo est habitué, en ma présence, à rencontrer l'incroyable, vous savez.

LE CURATEUR. Je le crains, je le crains. *Désignant la lunette.* Eh bien, la voilà cette chose fameuse. Cette chose, vous pouvez aussi bien la jeter. Elle ne vaut rien, absolument rien.

SAGREDO *qui, inquiet, tournait en rond.* Comment cela ?

LE CURATEUR. Cette invention de vous, que vous présentiez comme le fruit de dix-sept années de recherche, savez-vous qu'on peut l'acheter à tous les coins de rue en Italie pour quelques écus ? Et qu'on la fabrique en Hollande ? En ce moment, un cargo hollandais décharge dans le port cinq cents de ces lunettes !

GALILÉE. Vraiment ?

LE CURATEUR. Je ne comprends pas votre calme, monsieur.

SAGREDO. Qu'est-ce qui vous chagrine exactement ? Laissez-moi vous dire que monsieur Galilée a fait ces jours-ci, au moyen de cet instrument, des découvertes bouleversantes touchant l'univers des astres.

GALILÉE, *riant.* Vous pouvez y jeter un œil, Priuli.

LE CURATEUR. Laissez-moi vous dire que la découverte que j'ai faite me suffit : c'est moi l'homme qui, pour cette camelote, ai fait doubler le salaire de monsieur Galilée. Un pur hasard si ces messieurs de la Signoria qui croyaient avec cet instrument garantir à la République l'exclusivité de sa fabrication, n'ont pas au premier coup d'œil aperçu, au coin de la rue la plus proche, agrandi sept fois, un simple colporteur en train précisément de vendre cette lunette, pour une bouchée de pain.

Galilée rit aux éclats.

SAGREDO. Cher monsieur Priuli, je ne peux sans doute pas juger de la valeur marchande de cet instrument, mais sa valeur pour la philosophie est si haute que...

LE CURATEUR. Pour la philosophie ! Qu'est-ce que monsieur Galilée, qui est mathématicien, a à voir avec la philosophie ? Monsieur Galilée, dans le temps vous avez inventé pour la ville une très honnête pompe à eau, et votre système d'irrigation fonctionne. Les drapiers louent votre machine également, aussi comment pouvais-je m'attendre à pareille chose ?

GALILÉE. Pas si vite, Priuli. Les voies maritimes sont toujours longues, peu sûres et chères. Il nous manque une espèce d'horloge fiable dans le ciel. Un guide pour la navigation. Or j'ai des raisons de supposer qu'il est possible d'apercevoir clairement au moyen de la lunette certains astres dont les mouvements sont très réguliers. De nouvelles cartes du ciel pourraient alors faire économiser à la navigation des millions d'écus, Priuli.

LE CURATEUR. C'est assez. Je vous ai déjà trop écouté. Pour me remercier de ma bienveillance, vous avez fait de moi la risée de la ville. Je survivrai dans les mémoires comme le curateur abusé par une lunette sans valeur. Vous avez de bonnes raisons de rire. Vous avez vos cinq cents écus. Mais moi je peux vous dire, et c'est un homme honnête qui vous le dit : ce monde me donne la nausée !

Il sort, claquant la porte derrière lui.

GALILÉE. Dans sa colère, il en devient presque sympathique. Tu as entendu : un monde dans lequel on ne peut pas faire d'affaires lui donne la nausée !

SAGREDO. Avais-tu connaissance de ces instruments hollandais ?

GALILÉE. Bien sûr, par ouï-dire. Mais celui que j'ai construit pour ces pingres est beaucoup mieux. Comment veux-tu que je travaille avec un huissier dans la chambre ? Et bientôt Virginia aura besoin d'une dot, elle n'est pas intelligente. Et puis j'aime acheter des livres, pas seulement de physique, et j'aime manger comme il faut. C'est au cours d'un bon repas que j'ai le plus d'idées. Quel siècle pourri ! Ils m'ont payé moins que le cocher qui transporte leurs tonneaux de vin. Quatre cordes de bois de chauffage pour deux cours de mathématique. À présent je leur ai arraché cinq cents écus, mais même encore maintenant, j'ai des dettes, certaines courent depuis vingt ans. Cinq années de temps libre pour la recherche et j'aurai tout prouvé ! Je vais te montrer autre chose encore.

SAGREDO *hésite à s'approcher de la lunette.* J'éprouve comme de la peur, Galilée.

GALILÉE. Je vais maintenant te présenter un de ces brouillards de la voie lactée, brillant de la blancheur du lait. Dis-moi de quoi il est fait !

SAGREDO. Ce sont des étoiles, sans nombre.

GALILÉE. Rien que dans la constellation d'Orion, il y a cinq cents étoiles fixes. Ce sont les mondes multiples, les innombrables, plus lointains, dont parlait le supplicié. Il ne les a pas vus, il les attendait !

SAGREDO. Quand bien même la Terre serait un corps céleste, on est encore loin des affirmations de Copernic soutenant qu'elle tourne autour du soleil. Il n'y a pas d'astre dans le ciel autour duquel un autre tourne. Mais tout de même, autour de la Terre tourne toujours la lune.

GALILÉE. Sagredo, je m'interroge. Depuis avant-hier je m'interroge. Voici Jupiter. *Il pointe la lunette.* Il se trouve qu'il y a quatre étoiles plus petites près de lui, qu'on ne voit qu'à l'aide de la lunette. Je les ai vues lundi mais je n'ai pas pris particulièrement note de leurs positions. Hier je les ai de nouveau observées. J'aurais pu jurer que les positions des quatre avaient changé. Je les ai notées. Elles ont encore changé. Que se passe-t-il ? J'en voyais pourtant quatre. *Agité.* Regarde, toi !

SAGREDO. J'en vois trois.

GALILÉE. Où est la quatrième ? Voici les tables. Nous devons calculer quels mouvements elles ont pu faire. *Tout excités, ils se mettent au travail. Le noir se fait sur la scène, cependant qu'on voit encore, sur l'horizon du théâtre, Jupiter et ses satellites. Quand la lumière revient, ils sont toujours assis, dans leurs manteaux d'hiver.*

GALILÉE. La preuve est faite. La quatrième ne peut être allée que derrière Jupiter où on ne la voit pas. Le voilà ton astre autour duquel un autre tourne.

SAGREDO. Mais la sphère de cristal sur laquelle Jupiter est fixé ?

GALILÉE. Oui, où est-elle à présent ? Comment Jupiter pourrait-il être fixe quand d'autres étoiles décrivent un cercle autour de lui ? Il n'y a pas de soutien dans le ciel, il n'y a pas d'appui dans l'univers ! Il s'agit d'un autre soleil !

SAGREDO. Calme-toi ! Tu penses trop vite.

GALILÉE. Comment, vite ! Réveille-toi, l'homme ! Ce

que tu vois, personne encore ne l'a vu. Ils avaient raison !

SAGREDO. Qui ? Les coperniciens ?

GALILÉE. Et l'autre aussi ! Le monde entier était contre eux et ils avaient raison. Ça, c'est quelque chose pour Andrea ! *Il court à la porte et crie.* Madame Sarti ! Madame Sarti !

SAGREDO. Galilée, calme-toi !

GALILÉE. Sagredo, réveille-toi ! Madame Sarti !

SAGREDO *fait pivoter la lunette.* Ne hurle pas dans tous les sens comme un fou.

GALILÉE. Ne reste pas planté là, muet comme une carpe, quand la vérité est découverte.

SAGREDO. Je ne suis pas planté là, muet comme une carpe, mais je tremble que ce puisse être la vérité.

GALILÉE. Quoi ?

SAGREDO. As-tu perdu la raison ? Ne sais-tu vraiment plus à quoi tu t'exposes si ce que tu vois là est vrai ? Et si tu cries sur toutes les places que la Terre est un corps céleste et n'est pas le centre de l'univers ?

GALILÉE. Oui, et que tout cet univers gigantesque avec ces corps célestes ne tourne pas autour de notre minuscule terre, comme chacun aurait bien pu le penser !

SAGREDO. Donc il n'y a que des astres ! Et où est Dieu, alors ?

GALILÉE. Que veux-tu dire ?

SAGREDO. Dieu ! Où est Dieu ?

GALILÉE, *en colère.* Pas là-haut ! Pas plus là-haut qu'on ne le trouverait sur la Terre, si là-haut existaient des êtres et qu'ils le cherchent ici !

SAGREDO. Et où donc est Dieu ?

GALILÉE. Suis-je théologien ? Je suis mathématicien.

SAGREDO. Avant tout tu es un homme. Et je te demande où est Dieu dans ton système du monde ?

GALILÉE. En nous ou nulle part !

SAGREDO, *en criant*. Comme l'a dit celui qu'on a brûlé ?

GALILÉE. Comme l'a dit celui qu'on a brûlé !

SAGREDO. C'est pourquoi on l'a brûlé ! Il n'y a pas dix ans de cela !

GALILÉE. Parce qu'il ne pouvait rien prouver ! Parce qu'il l'affirmait seulement ! Madame Sarti !

SAGREDO. Galilée, je t'ai toujours connu homme adroit. Dix-sept ans durant à Padoue et trois ans à Pise, tu as enseigné patiemment à des centaines d'élèves le système de Ptolémée prôné par l'Église et attesté par l'Écriture sur laquelle repose l'Église. Avec Copernic, tu l'as tenu pour faux, mais tu l'as enseigné.

GALILÉE. Parce que je ne pouvais rien prouver.

SAGREDO, *incrédule*. Et tu crois que cela fait une différence ?

GALILÉE. Toute la différence ! Vois, Sagredo ! Je crois en l'homme et cela signifie, que je crois en sa raison ! Sans cette croyance je n'aurais pas la force de me lever de mon lit le matin.

SAGREDO. Alors je vais te dire quelque chose : moi je n'y crois pas. Quarante ans parmi les hommes m'ont enseigné sans cesse qu'ils ne sont pas accessibles à la raison. Montre-leur la queue rougeoyante d'une comète, inspire-leur une sourde angoisse, et ils sortiront de leurs maisons en courant à se rompre les jambes. Mais dis-leur une phrase raisonnable et prouve-la sept fois par la raison, et ils riront tout simplement de toi.

GALILÉE. C'est absolument faux et de plus une calomnie. Je ne comprends pas comment tu peux aimer la science tout en croyant de telles choses. Il n'y a que les morts qui ne se laissent plus émouvoir par des raisons !

SAGREDO. Comment peux-tu confondre leurs misérables ruses avec la raison !

GALILÉE. Je ne parle pas de leurs ruses. Je sais qu'ils nomment l'âne un cheval quand ils le vendent et le cheval un âne quand ils veulent l'acheter. Voilà toute leur ruse. Mais la vieille qui la veille du voyage, de sa main rude, donne une touffe de foin supplémentaire au mulet, le capitaine de navire qui pour l'achat des vivres pense à la tempête aussi bien qu'à l'accalmie, l'enfant qui enfonce son bonnet sur la tête quand on lui a démontré qu'il pourrait pleuvoir, eux tous sont mon espérance, eux tous se laissent convaincre par des raisons. Oui je crois en la douce violence de la raison sur les hommes. À la longue ils ne peuvent pas lui résister. Aucun homme ne peut longtemps me voir – *il laisse tomber de sa main une pierre* – faire tomber une pierre, et m'entendre dire : elle ne tombe pas. De cela aucun homme n'est capable. La séduction qui émane d'une preuve est trop grande. La plupart y succombent, et à la longue tous. Penser est un des plus grands divertissements de l'espèce humaine.

MADAME SARTI *entre.* Avez-vous besoin de quelque chose, monsieur Galilée ?

GALILÉE *qui de nouveau est à sa lunette et prend des notes ; très gentiment.* Oui, j'ai besoin d'Andrea.

MADAME SARTI. Andrea ? Il est au lit et il dort.

GALILÉE. Ne pouvez-vous pas le réveiller ?

MADAME SARTI. Mais pourquoi avez-vous besoin de lui ?

GALILÉE. Je veux lui montrer quelque chose qui lui fera plaisir. Je veux qu'il voie quelque chose qu'aucun homme encore n'a vu depuis que la terre existe, excepté nous.

MADAME SARTI. Encore une de ces choses qu'on voit par la lunette ?

GALILÉE. Une de ces choses qu'on voit par ma lunette, madame Sarti.

MADAME SARTI. Et c'est pour ça que je devrais le réveiller au milieu de la nuit ? Avez-vous toute votre tête ? Il a besoin de dormir, la nuit. Le réveiller, je n'y songe pas.

GALILÉE. Vraiment pas ?

MADAME SARTI. Vraiment pas.

GALILÉE. Alors, madame Sarti, vous pouvez peut-être m'aider. Voyez-vous, une question a surgi à propos de laquelle nous ne pouvons pas nous mettre d'accord, sans doute parce que nous avons lu trop de livres. C'est une question sur le ciel, une question touchant les astres. La voici : faut-il supposer que le grand tourne autour du petit, ou bien est-ce le petit qui tourne autour du grand ?

MADAME SARTI, *méfiante*. On ne sait pas trop à quoi s'en tenir avec vous, monsieur Galilée. Est-ce une question sérieuse ou voulez-vous encore une fois vous moquer de moi ?

GALILÉE. C'est une question sérieuse.

MADAME SARTI. Alors ça m'est facile de vous répondre rapidement. Est-ce moi qui vous sers le repas ou est-ce vous qui me le scrvez ?

GALILÉE. C'est vous qui me le servez. Hier il était un peu brûlé.

MADAME SARTI. Et pourquoi était-il un peu brûlé ? Parce que j'ai dû vous apporter vos chaussures alors que j'étais aux fourneaux. Est-ce que je ne vous ai pas apporté vos chaussures ?

GALILÉE. Probablement.

MADAME SARTI. Car c'est vous qui avez fait des études et qui pouvez payer.

GALILÉE. Je vois. Je vois, il n'y a là aucune difficulté. Bonne journée, madame Sarti.

Madame Sarti amusée, sort.

GALILÉE. Et de tels gens ne pourraient pas comprendre la vérité ? Ils cherchent à la happer.

On entend sonner les matines. Entre Virginia, en manteau, une lanterne à la main.

VIRGINIA. Bonjour, père.

GALILÉE. Pourquoi es-tu déjà debout ?

VIRGINIA. Je vais à matines avec madame Sarti. Ludovico y vient aussi. Comment était la nuit, père ?

GALILÉE. Claire.

VIRGINIA. Puis-je regarder ?

GALILÉE. Pourquoi ? *Virginia ne sait quoi répondre.* Ce n'est pas un jouet.

VIRGINIA. Non, père.

GALILÉE. D'ailleurs cette lunette est une déception, tu l'entendras dire partout bientôt. On la vend pour trois écus dans les rues et en Hollande on l'avait déjà inventée.

VIRGINIA. N'as-tu plus rien vu de neuf dans le ciel avec ça ?

GALILÉE. Rien pour toi. Juste quelques petites taches ternes du côté gauche d'une grande étoile. Il va falloir de quelque manière que j'attire l'attention sur elles. *Il s'adresse à Sagredo par-dessus la tête de sa fille.* Je vais peut-être les baptiser « astres médicéens » du nom du grand-duc de Florence. *De nouveau à Virginia.* Cela t'intéressera, Virginia, de savoir que nous allons sans doute déménager à Florence. J'ai écrit une lettre là-bas pour demander si le grand-duc pouvait avoir besoin de moi comme mathématicien à la cour.

VIRGINIA, *rayonnante.* À la cour ?

SAGREDO. Galilée !

GALILÉE. Mon cher, j'ai besoin d'être libre de mon temps. J'ai besoin de preuves. Et je veux de la viande à manger. Et à ce poste je n'aurai plus à seriner en leçons particulières le système de Ptolémée, mais j'aurai le temps, le temps, le temps, le temps, le temps ! d'établir mes preuves, car celles que j'ai maintenant ne suffisent pas. Ce n'est rien, rien qu'un assemblage misérable ! Avec ça je ne peux pas me présenter devant le monde. Il n'y a pas encore la moindre preuve qu'un quelconque corps céleste tourne autour du soleil. Mais j'apporterai des preuves pour tout un chacun, de madame Sarti jusqu'au pape. Ma seule crainte est que la cour ne me prenne pas.

VIRGINIA. Sûrement qu'on te prendra, père, avec les nouvelles étoiles et tout et tout.

GALILÉE. Va à ta messe. *Virginia sort.*

GALILÉE. J'écris rarement des lettres à de hautes personnalités. *Il donne une lettre à Sagredo.* Crois-tu qu'elle convienne ?

SAGREDO *lit à haute voix la fin de la lettre que Galilée lui a donnée.* « Car je ne désire rien tant que d'être plus près de vous, vous le soleil levant qui allez éclairer ce siècle. » Le grand-duc de Florence a neuf ans.

GALILÉE. En effet. Je vois que tu trouves ma lettre trop servile. Moi, je me demande si elle n'est pas trop formelle plutôt et pas assez servile, comme s'il me manquait finalement la soumission véritable. Quelqu'un qui aurait acquis le mérite de prouver Aristote pourrait écrire une lettre réservée, pas moi. Un homme comme moi ne peut obtenir une place à peu près digne qu'en rampant à plat ventre. Et tu sais que je méprise les gens dont le cerveau n'est pas capable de remplir l'estomac.

Madame Sarti et Virginia passent à côté des deux hommes pour se rendre à la messe.

SAGREDO. Ne va pas à Florence, Galilée.

GALILÉE. Pourquoi ?

SAGREDO. Parce que les moines y règnent.

GALILÉE. Il y a des savants renommés à la cour de Florence.

SAGREDO. Des laquais.

GALILÉE. Je les prendrai par la peau du cou et les traînerai devant la lunette. Les moines aussi sont des hommes, Sagredo. Eux aussi succombent à la séduction des preuves. Copernic, ne l'oublie pas, exigeait d'eux qu'ils croient en ses chiffres, mais moi, j'exige simplement qu'ils croient en leurs yeux. Quand la vérité est trop faible pour se défendre, elle doit passer à l'offensive. Je les prendrai par la peau du cou et les forcerai à regarder par cette lunette.

SAGREDO. Galilée, je te vois engagé sur un chemin terrible. C'est la nuit du malheur, celle où l'homme voit la vérité. Et l'heure de l'aveuglement, celle où il croit en la raison humaine. De qui dit-on qu'il va les yeux ouverts ? De qui va à sa perte. Comment les puissants pourraient-ils laisser courir en liberté quelqu'un qui sait la vérité, ne serait-ce qu'une vérité touchant les astres les plus éloignés ! Penses-tu que le pape entendra ta vérité quand tu dis qu'il se trompe, sans pour autant entendre qu'il se trompe ? Crois-tu qu'il inscrira tout simplement dans son journal : 10 janvier 1610, ciel aboli ? Comment peux-tu vouloir quitter cette République, la vérité dans la poche, pour te jeter dans les pièges des princes et des moines, ta lunette à la main ? Toi, si méfiant dans ta science, tu es crédule comme un enfant pour tout ce qui te semble faciliter sa pratique. Tu ne crois pas en Aristote mais dans le grand-duc de Florence.

Tout à l'heure quand je t'ai vu à ta lunette regarder ces nouvelles étoiles, j'ai cru te voir sur le bûcher et quand tu disais que tu croyais dans les preuves, j'ai humé l'odeur de la chair brûlée. J'aime la science, mais toi plus encore, mon ami. Ne va pas à Florence, Galilée.

GALILÉE. S'ils veulent de moi, j'y vais.

La dernière page de la lettre apparaît sur un rideau.

Quand j'attribue aux nouvelles étoiles que j'ai découvertes le nom sublime de la lignée des Médicis, je suis conscient que si l'élévation des dieux et des héros au ciel étoilé a contribué à leur glorification, dans le cas présent c'est au contraire le nom sublime des Médicis qui assurera à ces étoiles une mémoire impérissable. Quant à moi, je me rappelle à votre souvenir comme étant du nombre de vos serviteurs les plus fidèles et les plus dévoués, qui tient pour un honneur suprême d'être né votre sujet. Car je ne désire rien tant que d'être plus près de vous, vous le soleil levant qui allez éclairer ce siècle.

Galileo Galilei

4

GALILÉE A TROQUÉ LA RÉPUBLIQUE DE VENISE CONTRE LA
COUR DE FLORENCE. SES DÉCOUVERTES DUES À LA LUNETTE
SE HEURTENT À L'INCRÉDULITÉ DES SAVANTS FLORENTINS.

L'ordre ancien dit : je suis ce que toujours j'étais.
le nouveau dit : si tu n'es plus bon, disparais.

*La maison de Galilée à Florence. Madame Sarti fait
des préparatifs dans le cabinet de travail de Galilée en
vue de recevoir des invités. Son fils Andrea est assis et
range des cartes du ciel.*

MADAME SARTI. Depuis que nous sommes bel et bien
dans cette Florence tant louée, on n'en finit plus de
se courber et de lécher les bottes. La ville entière
défile devant ce tube et après je suis bonne pour
lessiver le plancher. Et tout cela pour rien ! S'il y
avait quelque chose de vrai dans ces découvertes, ces
messieurs du clergé seraient les premiers tout de
même à le savoir. J'ai servi quatre ans durant chez
monsignore Filippo, et je n'ai jamais pu dépoussiérer
entièrement sa bibliothèque. Des volumes reliés
jusqu'au plafond, et pas de la petite poésie ! Et le bon
monsignore avait deux livres d'ulcères au derrière à
force d'être resté assis devant toute cette science, et
un tel homme ne s'y connaîtrait pas ? La grande visite
d'aujourd'hui nous tournera en ridicule, si bien
qu'une fois de plus, demain je ne pourrai pas regarder
le laitier dans les yeux. Je savais ce que je disais
quand je lui ai conseillé de servir d'abord à ces messieurs un bon souper, un bon morceau d'agneau avant

qu'ils n'en viennent à son tube. Mais non ! *Elle imite Galilée.* « J'ai autre chose pour eux. »
On frappe en bas.

MADAME SARTI *regarde à l'espion de la fenêtre.* Mon Dieu, voilà déjà le grand-duc. Et Galilée est encore à l'université ! *Elle descend l'escalier en courant et fait entrer le grand-duc de Toscane, Cosme de Médicis, qu'accompagnent le maréchal et deux dames de la cour.*

COSME. Je veux voir la lunette.

LE MARÉCHAL DE LA COUR. Votre Altesse patientera peut-être jusqu'au retour de monsieur Galilée et des autres messieurs de l'université. *À madame Sarti.* Monsieur Galilée est si désireux de faire examiner par messieurs les astronomes ces étoiles qu'il vient de découvrir et qu'on appelle médicéennes.

COSME. Ils n'ont pas confiance dans la lunette, mais alors pas du tout. Où est-elle donc ?

MADAME SARTI. En haut, dans le cabinet de travail.
Le jeune garçon fait un signe de la tête, montre l'escalier ; madame Sarti acquiesce, et il gravit l'escalier quatre à quatre.

LE MARÉCHAL DE LA COUR, *un très vieil homme.* Votre Altesse ! *À madame Sarti.* Faut-il vraiment monter là-haut ? Je ne suis venu que parce que le précepteur est tombé malade.

MADAME SARTI. Il ne peut rien arriver au jeune monsieur. Mon fils est là-haut.

COSME, *arrivé à l'étage.* Bonsoir.
Les deux garçons s'inclinent l'un face à l'autre avec cérémonie. Un temps. Puis Andrea retourne à son travail.

ANDREA, *très à la manière de son professeur.* On entre ici comme dans un moulin.

COSME. Beaucoup de visiteurs ?

ANDREA. Se marchent sur les pieds, regardent comme des veaux et n'y comprennent rien.

COSME. Je comprends. Est-ce là... ? *Il montre du doigt la lunette.*

ANDREA. Oui c'est elle. Mais attention : pas touche.

COSME. Et ça c'est quoi ? *Il désigne le modèle en bois du système de Ptolémée.*

ANDREA. C'est celui de Ptolémée.

COSME. Ça montre comment tourne le soleil, n'est-ce pas ?

ANDREA. Oui, on dit ça.

COSME, *s'asseyant sur une chaise, pose l'astrolabe sur ses genoux.* Mon professeur a pris froid. Alors j'ai pu partir plus tôt. C'est agréable ici.

ANDREA, *inquiet, tourne en rond, traînant les pieds, indécis, regarde avec méfiance le garçon inconnu, et finalement, incapable de résister plus longtemps à la tentation, tire de derrière les cartes un second modèle en bois, une représentation du système de Copernic.* Mais en réalité c'est comme ça, naturellement.

COSME. Qu'est-ce qui est comme ça ?

ANDREA, *désignant le modèle de Cosme.* On croit que c'est comme ça et c'est – *montrant le sien* – comme ça. La terre tourne autour du soleil, vous comprenez ?

COSME. Tu crois vraiment ?

ANDREA. Bien sûr. C'est prouvé.

COSME. Vraiment ? Je voudrais savoir pourquoi ils ne m'ont plus du tout laissé entrer chez le vieux. Hier encore il était à la tablée du soir.

ANDREA. Vous n'avez pas l'air d'y croire, hein ?

COSME. Mais si, naturellement.

ANDREA, *désignant tout à coup le modèle sur les genoux de Cosme.* Rends-le-moi, tu ne comprends même pas celui-là !

COSME. Tu n'as pas besoin des deux.

ANDREA. Je te dis de me le rendre. Ce n'est pas un jouet pour les petits garçons.

46

COSME. Ça m'est égal de te le donner mais tu devrais être un peu plus poli, tu sais.

ANDREA. Tu n'es qu'un idiot, et poli ou pas, donne, autrement il y aura des coups.

COSME. Pas touche, tu entends.

Ils commencent à se chamailler et roulent bientôt par terre.

ANDREA. Je vais t'apprendre à respecter un modèle. Rends-toi !

COSME. Le voilà cassé en deux. Tu me tords la main.

ANDREA. Nous verrons bien qui a raison et qui a tort. Dis qu'elle tourne, autrement tu recevras des gnons.

COSME. Jamais ! Aïe, espèce de rouquin ! Je t'apprendrai la politesse.

ANDREA. Rouquin ? Moi, rouquin !

Ils continuent à se battre en silence. En bas, entrent Galilée et quelques professeurs de l'université. Derrière eux, Federzoni.

LE MARÉCHAL DE LA COUR. Messieurs, une légère indisposition a empêché le précepteur de Son Altesse, monsieur Suri, d'accompagner Son Altesse ici.

LE THÉOLOGIEN. Rien de grave, j'espère.

LE MARÉCHAL DE LA COUR. Absolument pas.

GALILÉE, *déçu.* Son Altesse n'est pas là ?

LE MARÉCHAL DE LA COUR. Son Altesse est en haut. Je vous en prie, ne tardons plus, messieurs. La cour est si avide de connaître l'avis de l'illustre université sur l'extraordinaire instrument de monsieur Galilée et ses nouveaux astres miraculeux.

Ils montent. Les enfants maintenant sont à terre, silencieux. Ils ont entendu le bruit en bas.

COSME. Ils sont là. Laisse-moi me relever.

Ils se lèvent rapidement.

LES MESSIEURS, *tandis qu'ils montent.* Non, non, tout est en bon ordre. – La faculté de médecine déclare qu'il

47

est exclu que les affections dans la vieille ville puissent être des cas de peste. Les miasmes mourraient de froid par les températures qui règnent en ce moment. – Le pire dans de telles circonstances, c'est toujours de céder à la panique. – Rien que les vagues de refroidissements habituelles en cette saison. Tout autre soupçon est exclu. Tout est en bon ordre. *Arrivés en haut, salutations.*

GALILÉE. Votre Altesse, je suis heureux de pouvoir, en votre présence, porter à la connaissance de ces messieurs de votre université les dernières nouveautés.

Cosme s'incline dans les formes de tous côtés y compris devant Andrea.

LE THÉOLOGIEN, *apercevant au sol le modèle ptolémaïque brisé.* Il semble qu'ici quelque chose se soit cassé.

Cosme se baisse rapidement et remet poliment le modèle à Andrea. Dans le même temps, Galilée, furtivement, met de côté l'autre modèle.

GALILÉE, *à la lunette.* Votre Altesse n'est certainement pas sans savoir que depuis quelque temps, nous autres, astronomes, avons rencontré de grandes difficultés dans nos calculs. Nous utilisons pour ce faire un très vieux système qui semble être en accord avec la philosophie, mais malheureusement pas avec les faits. D'après cet ancien système, celui de Ptolémée, les mouvements des astres sont supposés être extrêmement complexes. La planète Vénus, par exemple, est censée accomplir un mouvement de ce genre. *Il dessine sur un tableau l'épicycle de Vénus selon l'hypothèse ptolémaïque.* Mais même en supposant des mouvements aussi compliqués, nous ne sommes pas en mesure de calculer correctement par avance la position des astres. Nous ne les trouvons pas aux endroits où, en principe, ils devraient être. À cela s'ajoutent des

mouvements célestes pour lesquels le système de Ptolémée n'offre aucune explication. Ce sont des mouvements de ce genre, me semble-t-il, que les petites étoiles que j'ai récemment découvertes, accomplissent
autour de la planète Jupiter. Serait-il agréable à ces
messieurs de commencer par une inspection des satellites de Jupiter, les astres médicéens ?

ANDREA, *désignant le tabouret devant la lunette.* On est
prié de s'asseoir ici.

LE PHILOSOPHE. Merci, mon enfant. Je crains que tout ceci
ne soit pas aussi simple. Monsieur Galilée, avant de
faire usage de votre célèbre lunette, nous vous prions
de nous accorder le plaisir d'une dispute. Sujet : de
telles planètes peuvent-elles exister ?

LE MATHÉMATICIEN. Une dispute en bonne et due forme.

GALILÉE. Moi, je pensais que vous alliez regarder tout
simplement par la lunette pour vous en persuader ?

ANDREA. Ici, je vous prie.

LE MATHÉMATICIEN. Certes, certes. Vous n'ignorez évidemment pas que selon l'avis des Anciens, des étoiles
qui tournent autour d'un autre centre que la Terre ne
peuvent exister, ni non plus des étoiles sans appui dans
le ciel ?

GALILÉE. Oui.

LE PHILOSOPHE. Et, sans même tenir compte de la possibilité de telles étoiles que le mathématicien – *il
s'incline en direction du mathématicien* – semble mettre en doute, je voudrais en tant que philosophe soule-
ver en toute modestie la question suivante : de telles
étoiles sont-elles nécessaires ? « *Aristotelis divini uni-
versum...* »

GALILÉE. Ne devrions nous pas poursuivre dans la langue
de tous les jours ? Mon collègue, monsieur Federzoni,
ne comprend pas le latin.

LE PHILOSOPHE. Y a-t-il quelque importance à ce qu'il nous comprenne ?

GALILÉE. Oui.

LE PHILOSOPHE. Excusez-moi. Je croyais qu'il était votre polisseur de lentilles.

ANDREA. Monsieur Federzoni est un polisseur de lentilles et un savant.

LE PHILOSOPHE. Merci mon enfant. Si monsieur Federzoni y tient...

GALILÉE. Moi, j'y tiens.

LE PHILOSOPHE. L'argument perdra de son éclat, mais nous sommes chez vous. Le monde tel que se le représente le divin Aristote, avec ses sphères et leurs musiques mystiques, ses voûtes de cristal et les cycles de ses corps célestes et l'inclinaison de l'orbe solaire et les secrets des tables des satellites et la profusion d'étoiles au catalogue de l'hémisphère austral et l'architecture illuminée du globe céleste, est une construction d'un tel ordre et d'une telle beauté que nous devrions certainement hésiter à détruire cette harmonie.

GALILÉE. Et si Votre Altesse apercevait maintenant par la lunette ces étoiles impossibles autant qu'inutiles ?

LE MATHÉMATICIEN. On pourrait être tenté de répondre que votre lunette faisant voir quelque chose qui ne peut pas être, doit être une lunette peu fiable, non ?

GALILÉE. Que voulez-vous dire par là ?

LE MATHÉMATICIEN. Il serait bien plus profitable, monsieur Galilée, que vous nous donniez les raisons qui vous amènent à supposer que, dans la plus haute sphère du ciel immuable, des astres errant librement pourraient se mouvoir.

LE PHILOSOPHE. Des raisons, monsieur Galilée, des raisons !

GALILÉE. Les raisons ? Quand un simple coup d'œil sur

les astres eux-mêmes et sur mes relevés montrent le phénomène ? Monsieur, la dispute devient de mauvais goût.

LE MATHÉMATICIEN. Si l'on était sûr de ne pas vous mettre davantage encore en colère, on pourrait dire ceci : ce qui est dans votre lunette et ce qui est dans le ciel peuvent être deux choses distinctes.

LE PHILOSOPHE. On ne saurait exprimer cela plus poliment.

FEDERZONI. Ils pensent que nous peignons les étoiles médicéennes sur la lentille !

GALILÉE. Vous m'accusez d'escroquerie ?

LE PHILOSOPHE. Mais comment le pourrions-nous ? En présence de Son Altesse !

LE MATHÉMATICIEN. Votre instrument, qu'on l'appelle votre enfant ou votre pupille, est certainement fabriqué de façon très habile, sans aucun doute !

LE PHILOSOPHE. Et nous sommes tout à fait convaincus, monsieur Galilée, que ni vous ni personne n'oserait parer du nom illustre de la dynastie, des étoiles dont l'existence ne serait pas au-dessus de tout soupçon.

Tous s'inclinent profondément en direction du grand-duc.

COSME *se tourne vers les dames de la cour.* Quelque chose ne va pas avec mes étoiles ?

LA DAME D'HONNEUR D'UN CERTAIN ÂGE, *au grand-duc.* Tout va bien avec les étoiles de Votre Altesse. Ces messieurs se demandent seulement si elles existent vraiment vraiment.

Un temps.

LA JEUNE DAME D'HONNEUR. Il paraît que l'on peut voir chaque roue du grand Chariot avec cet instrument.

FEDERZONI. Oui, et toutes sortes de choses du Taureau.

GALILÉE. Ces messieurs vont-ils, oui ou non, regarder ?

LE PHILOSOPHE. Certainement, certainement.

LE MATHÉMATICIEN. Certainement.

Un temps. Soudain Andrea se retourne et traverse toute la pièce avec raideur. Sa mère l'arrête.

MADAME SARTI. Qu'est-ce que tu as ?

ANDREA. Ils sont bêtes. *Il se dégage et part en courant.*

LE PHILOSOPHE. Pauvre enfant.

LE MARÉCHAL DE LA COUR. Votre Altesse, messieurs, puis-je vous rappeler que le bal de la cour commence dans trois quarts d'heure ?

LE MATHÉMATICIEN. Pourquoi continuer à marcher sur des œufs ? Tôt ou tard, monsieur Galilée devra bien se réconcilier avec la réalité. Ses planètes de Jupiter perceraient l'enveloppe de la sphère. C'est tout simple.

FEDERZONI. Vous serez étonné : il n'y a pas d'enveloppe des sphères.

LE PHILOSOPHE. Tous les manuels vous diront qu'il y en a, mon bon monsieur.

FEDERZONI. Alors qu'on nous donne de nouveaux manuels.

LE PHILOSOPHE. Votre Altesse, mon vénéré collègue et moi-même, nous nous appuyons sur rien moins que sur l'autorité du divin Aristote en personne.

GALILÉE, *presque humblement.* Messieurs, la croyance en l'autorité d'Aristote est une chose, les faits qu'on peut toucher du doigt en sont une autre. Vous dites que, d'après Aristote, il y a là-haut des sphères de cristal, et qu'ainsi, certains mouvements ne peuvent avoir lieu parce que les astres perceraient les sphères. Mais que se passerait-il si vous pouviez constater ces mouvements ? Peut-être cela vous suggérerait-il que ces sphères de cristal n'existent pas ? Messieurs je vous demande en toute humilité d'en croire vos yeux.

LE MATHÉMATICIEN. Cher Galilée, il m'arrive de temps

en temps, aussi démodé que cela puisse vous paraître, de lire Aristote, et là je puis vous assurer que j'en crois mes yeux.

GALILÉE. Je suis habitué à voir ces messieurs de toutes les Facultés fermer les yeux devant la totalité des faits et faire comme si rien ne s'était passé. Je montre mes relevés et on sourit, je mets ma lunette à disposition pour qu'on puisse s'en convaincre et on me cite Aristote. Cet homme ne disposait pas de lunette !

LE MATHÉMATICIEN. Il est vrai que non, il est vrai que non.

LE PHILOSOPHE, *avec grandeur*. S'il s'agit ici de traîner dans la boue Aristote, autorité reconnue non seulement par toute la science de l'Antiquité mais également par les très hauts Pères de l'Église, alors il me semble, à moi du moins, que la poursuite de cette discussion est inutile. Je rejette une discussion non objective. Basta.

GALILÉE. La vérité est fille du temps, pas de l'Autorité. Notre ignorance est infinie : entamons-la d'un millimètre cube ! Pourquoi vouloir maintenant être encore plus savants quand nous pouvons enfin être un peu moins bêtes ! J'ai eu la chance inimaginable que me tombe sous la main un nouvel instrument avec lequel on peut observer d'un peu plus près, pas de beaucoup plus près, un petit coin de l'univers. Servez-vous-en.

LE PHILOSOPHE. Votre Altesse, mesdames et messieurs, je me demande simplement où tout cela va nous mener.

GALILÉE. J'aurais tendance à penser qu'en notre qualité d'hommes de science, nous n'avons pas à nous demander où peut nous mener la vérité.

Le philosophe, *furieux*. Monsieur Galilée, la vérité peut nous mener à un tas de choses !

Galilée. Votre Altesse. Ces nuits-ci à travers toute l'Italie, on braque des lunettes vers le ciel. Les lunes de Jupiter ne rendent pas le lait moins cher. Mais on ne les avait jamais vues et pourtant elles existent. L'homme de la rue en tire la conséquence que beaucoup d'autres choses encore pourraient exister si seulement il ouvrait les yeux ! Vous lui devez une confirmation ! Ce ne sont pas les mouvements de quelques astres éloignés qui font dresser l'oreille à l'Italie mais la bonne nouvelle que des doctrines tenues pour inébranlables ont commencé de vaciller et chacun sait que celles-là sont trop nombreuses. Messieurs, ne défendons pas les doctrines ébranlées !

Federzoni. En tant que professeurs, vous devriez vous charger de l'ébranlement.

Le philosophe. Je souhaiterais que votre acolyte n'y aille pas de ses conseils dans cette dispute scientifique.

Galilée. Votre Altesse ! Mon travail au grand arsenal de Venise m'a fait quotidiennement côtoyer des dessinateurs, des constructeurs et des fabricants d'instruments. Ces gens-là m'ont appris maints nouveaux chemins. Peu instruits, ils font confiance au témoignage de leurs cinq sens, sans redouter en général où ce témoignage va les mener...

Le philosophe. Oh ! Oh !

Galilée. Tout comme nos marins qui, il y a cent ans, ont quitté nos rivages sans savoir à quels autres rivages ils aborderaient ni même s'il y en avait. Il semble que pour rencontrer aujourd'hui la haute curiosité qui a fait la véritable gloire de la Grèce antique, on doive se rendre dans les chantiers navals.

LE PHILOSOPHE. Après tout ce que nous avons entendu ici, je ne doute pas plus longtemps que monsieur Galilée trouvera des admirateurs dans les chantiers navals.

LE MARÉCHAL DE LA COUR. Votre Altesse, je constate à mon grand effroi que cette conversation extrêmement instructive s'est un peu étendue. Il faut encore que Son Altesse se repose quelque peu avant le bal.

Sur un signe, le grand-duc s'incline devant Galilée. La cour s'apprête rapidement à partir.

MADAME SARTI *se place en travers du chemin du grand-duc et lui offre une assiette de pâtisseries.* Un craquelin, Votre Altesse ?

La dame d'un certain âge entraîne le grand-duc au-dehors.

GALILÉE, *leur courant après.* Mais ces messieurs n'auraient eu vraiment qu'à regarder par cet instrument !

LE MARÉCHAL DE LA COUR. Pour ce qui est de vos affirmations, Son Altesse ne manquera pas d'aller quérir à Rome l'avis de notre plus grand astronome vivant, le père Christopher Clavius, premier astronome du collège pontifical.

5

SANS SE LAISSER INTIMIDER MÊME PAR LA PESTE, GALILÉE POURSUIT SES RECHERCHES.

a

Tôt le matin. Galilée penché sur ses relevés, près de la lunette. Virginia entre avec un sac de voyage.

GALILÉE. Virginia ! Est-il arrivé quelque chose ?

VIRGINIA. Le couvent a fermé, nous avons dû immédiatement rentrer chez nous. Il y a cinq cas de peste à Arcetri.

GALILÉE *appelle*. Sarti !

VIRGINIA. Ici aussi la ruelle du marché est barrée, depuis cette nuit déjà. Il y aurait deux morts dans la vieille ville, et trois autres pestiférés sont mourants à l'hôpital.

GALILÉE. Une fois de plus, ils ont tout tenu secret jusqu'au dernier moment.

MADAME SARTI *entre*. Que fais-tu là ?

VIRGINIA. La peste.

MADAME SARTI. Mon Dieu ! Il faut plier bagages.
Elle s'assied.

GALILÉE. N'emportez rien. Emmenez Virginia et Andrea ! Je vais chercher les relevés de mes observations.
Il revient rapidement à sa table et rassemble à la hâte ses papiers. Madame Sarti met un manteau à Andrea qui est accouru et va chercher quelques draps et des vivres. Entre un laquais du grand-duc.

LE LAQUAIS. En raison de la maladie qui sévit, Son Altesse a quitté la ville en direction de Bologne. Elle a cependant insisté pour que soit donnée à monsieur Galilée la possibilité de se mettre également en sûreté. La voiture sera devant la porte dans deux minutes.

MADAME SARTI, *à Virginia et Andrea*. Vous, allez-y tout de suite. Tenez, prenez ça.

ANDREA. Mais pourquoi ? Si tu ne me dis pas pourquoi, je n'y vais pas.

MADAME SARTI. C'est la peste, mon enfant.

VIRGINIA. Nous attendons mon père.

MADAME SARTI. Monsieur Galilée, êtes-vous prêt ?

GALILÉE, *enveloppant la lunette dans la nappe*. Faites asseoir Virginia et Andrea dans la voiture. J'arrive tout de suite.

VIRGINIA. Non, nous ne partons pas sans toi. Tu n'en finiras jamais si tu commences à ranger tes livres.

MADAME SARTI. La voiture est là.

GALILÉE. Sois raisonnable Virginia, si vous n'allez pas vous y asseoir, le cocher partira. La peste, ce n'est pas rien.

VIRGINIA, *protestant, alors que madame Sarti les entraîne au dehors, elle et Andrea*. Aidez-le avec les livres, ou il ne viendra pas.

MADAME SARTI *l'appelle depuis la porte d'entrée*. Monsieur Galilée ! Le cocher refuse d'attendre.

GALILÉE. Madame Sarti, je ne crois pas qu'il soit bon que je parte. Tout est là, en désordre, vous savez, trois mois d'observations, des notes bonnes à jeter si je n'y consacre pas encore une nuit ou deux. Et puis cette épidémie est partout.

MADAME SARTI. Monsieur Galilée ! Viens avec nous, immédiatement ! Tu es fou.

GALILÉE. Partez avec Virginia et Andrea. Je vous rejoindrai.

MADAME SARTI. Dans une heure, personne ne pourra

plus partir d'ici. Viens ! *Elle tend l'oreille.* Il part !
Il faut que je l'en empêche. *Elle sort.*
*Galilée arpente la pièce. Madame Sarti revient, très
pâle, sans son baluchon.*

GALILÉE. Que faites-vous plantée là ? La voiture avec
les enfants finira par s'en aller sans vous.

MADAME SARTI. Ils sont partis. Ils ont dû retenir Virginia
de force. À Bologne, on s'occupera des enfants. Mais
ici, qui vous aurait servi votre repas ?

GALILÉE. Tu es folle. Rester dans cette ville pour cause
de cuisine !... *Il saisit ses notes.* Ne pensez pas de
moi, madame Sarti, que je suis fou. Je ne peux pas
abandonner mes observations. J'ai des ennemis puissants et je dois amasser des preuves pour soutenir
certaines affirmations.

MADAME SARTI. Vous n'avez pas à vous excuser. Mais
raisonnable, vous ne l'êtes pas.

b

*Devant la maison de Galilée à Florence. Galilée en sort
et jette un regard vers le bas de la rue. Passent deux
religieuses.*

GALILÉE *les interpelle.* Pouvez-vous me dire, mes
sœurs, où je pourrais acheter du lait ? Ce matin, la
laitière n'est pas venue, et ma gouvernante est partie.

L'UNE DES RELIGIEUSES. Les boutiques ne sont plus
ouvertes que dans la ville basse.

L'AUTRE RELIGIEUSE. Êtes-vous sorti d'ici ? *Galilée fait
signe que oui.* C'est la ruelle en question. *Les deux
religieuses se signent, murmurent l'Ave Maria et
s'enfuient. Un homme passe.*

GALILÉE *l'interpelle.* N'êtes-vous pas le boulanger qui

nous apporte le pain blanc ? *L'homme fait signe que oui.* Avez-vous vu ma gouvernante ? Elle a dû s'en aller, hier soir sans doute. Ce matin, elle n'était plus là.

L'homme secoue la tête. Une fenêtre s'ouvre en face et une femme s'y penche.

LA FEMME, *criant.* Fuyez ! Chez ceux d'en face, il y a la peste ! *L'homme affolé s'enfuit.*

GALILÉE. Savez-vous quelque chose au sujet de ma gouvernante ?

LA FEMME. Votre gouvernante s'est effondrée dans le haut de la rue. Elle savait ce qu'il en était. C'est pour ça qu'elle est partie. Quel égoïsme ! *Elle claque la fenêtre.*

Des enfants descendent la rue. Ils aperçoivent Galilée et se sauvent en criant. Galilée se retourne et deux soldats surgissent alors, bardés de fer.

LES SOLDATS. Rentre chez toi, sur-le-champ. *Avec leurs longues piques, ils repoussent Galilée dans sa maison et barricadent sa porte.*

GALILÉE, *à la fenêtre.* Pouvez-vous me dire ce qu'on a fait de cette femme ?

LES SOLDATS. On les porte à la fosse commune.

LA FEMME *réapparaît à la fenêtre.* Toute la rue, là-derrière, est infectée. Pourquoi ne la condamnez-vous pas ?

Les soldats tendent une corde en travers de la rue.

LA FEMME. Mais si vous faites ça, plus personne ne pourra venir par chez nous ! À quoi bon condamner notre rue ! Tout est sain par ici. Arrêtez ! Arrêtez ! Écoutez donc un peu ! Mon mari est en ville, il ne va plus pouvoir rentrer chez nous ! Monstres ! Monstres !

On entend venant de l'intérieur des sanglots et des

cris. Les soldats s'éloignent. À une autre fenêtre apparaît une vieille femme.

GALILÉE. Il doit y avoir un incendie par là-bas.

LA VIEILLE FEMME. Ils n'éteignent plus le feu quand la peste menace. Chacun ne pense plus qu'à la peste.

GALILÉE. Comme cela leur ressemble. C'est là tout leur système de gouvernement. Ils nous coupent des autres comme la branche malade d'un figuier qui ne peut plus donner de fruits.

LA VIEILLE FEMME. Vous n'avez pas le droit de dire ça. Ils sont simplement démunis.

GALILÉE. Êtes-vous seule chez vous ?

LA VIEILLE FEMME. Oui. Mais mon fils m'a fait parvenir un mot. Dieu soit loué, dès hier soir il l'a su, que quelqu'un était mort là-derrière, et il n'est plus rentré chez nous. Il y a eu cette nuit onze cas de peste dans le quartier.

GALILÉE. Je m'en veux de ne pas avoir renvoyé ma gouvernante à temps. Moi, j'avais un travail urgent, mais elle n'avait aucune raison de rester.

LA VIEILLE FEMME. Mais nous ne pouvons pas partir. Qui nous accueillerait ? Vous n'avez pas à vous faire de reproches. Je l'ai vue. Elle est partie ce matin vers sept heures. Elle avait la maladie car, quand elle m'a vu prendre les pains sur le pas de ma porte, elle a fait un détour pour m'éviter. Sans doute qu'elle ne voulait pas que votre maison soit condamnée. Mais ils finissent par tout savoir.

On entend un bruit de crécelles.

GALILÉE. Qu'est-ce que c'est ?

LA VIEILLE FEMME. Avec ce vacarme, ils essayent de chasser les nuages porteurs des miasmes de la peste. *Galilée rit aux éclats.*

LA VIEILLE FEMME. Et vous pouvez rire encore ? *Un homme descend la rue et la trouve barrée.*

GALILÉE. Holà, vous ! Ici tout est condamné, et il n'y a rien à manger dans la maison.

L'homme a déjà filé.

GALILÉE. Mais vous ne pouvez tout de même pas nous laisser mourir de faim ! Holà ! Holà !

LA VIEILLE FEMME. Peut-être qu'ils vont apporter quelque chose. Autrement je pourrai, mais cette nuit seulement, déposer une cruche de lait devant votre porte, si cela ne vous fait pas peur.

GALILÉE. Holà ! Holà ! On doit pourtant nous entendre.

Soudain Andrea se tient devant la corde. Il a le visage noyé de larmes.

GALILÉE. Andrea ! Comment es-tu arrivé jusque-là ?

ANDREA. J'étais là tôt ce matin déjà. J'ai frappé, mais vous ne m'avez pas ouvert. Les gens m'ont dit que...

GALILÉE. Tu n'es donc pas parti ?

ANDREA. Si. Mais j'ai pu sauter en chemin. Virginia a poursuivi sa route. Je ne peux pas entrer ?

LA VIEILLE FEMME. Non, c'est impossible. Tu dois te rendre aux Ursulines. Ta mère y est peut-être.

ANDREA. J'y suis allé. Mais on ne m'a pas laissé la voir. Elle est si malade.

GALILÉE. Es-tu venu à pied de si loin ? Cela fait bien trois jours que tu es parti.

ANDREA. Il m'a fallu tout cc temps, ne soyez pas fâché. Une fois ils m'ont attrapé.

GALILÉE, *désemparé.* Ne pleure plus maintenant. Vois-tu, j'ai découvert toutes sortes de choses entre-temps. Tu veux que je te raconte ? *Andrea acquiesce en sanglotant.* Fais bien attention ou tu ne comprendras pas. Te souviens-tu que je t'ai montré la planète Vénus ? Ne te laisse pas distraire par ce bruit, ce n'est rien. T'en souviens-tu ? Sais-tu ce que j'ai vu ? Elle est comme la lune. Je l'ai vue sous la forme d'une demi-lune et je l'ai vue sous la forme d'un croissant. Qu'en dis-tu ? Je peux tout te montrer avec une petite boule et une source de lumière. Cela prouve que cette planète-là non plus n'a pas de lumière propre. Et elle tourne autour du soleil, décrivant un simple cercle ; n'est-ce pas merveilleux ?

ANDREA, *sanglotant.* Certainement et ça, c'est un fait.

GALILÉE, *doucement.* Je ne l'ai pas retenue.

Andrea ne souffle mot.

GALILÉE. Mais naturellement, si je n'étais pas resté, ça ne serait pas arrivé.

ANDREA. Maintenant ils seront forcés de vous croire ?

GALILÉE. J'ai réuni toutes les preuves à présent. Tu sais, quand tout sera fini ici, j'irai à Rome et je leur montrerai.

Deux hommes masqués descendent la rue avec de longues perches et des baquets. Du bout de leurs perches ils font parvenir du pain aux fenêtres de Galilée et de la vieille.

LA VIEILLE FEMME. Et là en face, il y a une femme avec trois enfants. Laissez-leur quelque chose.

GALILÉE. Je n'ai rien à boire. Il n'y a pas d'eau dans la maison. *Les deux hommes haussent les épaules.* Viendrez-vous demain ?

L'UN DES HOMMES, *d'une voix étouffée car sa bouche est masquée d'un tissu.* Qui sait aujourd'hui ce que demain sera ?

GALILÉE. Pourriez-vous, quand vous viendrez, me faire passer un petit livre dont j'ai besoin pour mon travail ?

L'HOMME *rit sourdement.* Comme si un livre avait de l'importance maintenant. Sois content d'avoir du pain.

GALILÉE. Mais le jeune garçon qui est là, mon élève,

vous le remettra pour moi. C'est la carte avec la révolution de Mercure, Andrea, je l'ai égarée. Veux-tu bien te la procurer à l'école ? *Les hommes sont déjà repartis.*

ANDREA. Certainement. Je vais la chercher, monsieur Galilée.

Il sort.

Galilée se retire également. De la maison d'en face sort la vieille femme qui dépose une cruche devant la porte de Galilée.

6

1616. LE COLLEGIUM ROMANUM, L'INSTITUT DE RECHERCHE DU VATICAN, CONFIRME LES DÉCOUVERTES DE GALILÉE.

Cela ne s'est pas vu souvent
Que des savants avouent être ignorants.
Clavius, à Dieu dévoué,
Donne raison à Galilée.

Une salle du Collegium Romanum. C'est la nuit. Des membres du haut clergé, des moines, des savants, par petits groupes. Sur le côté, Galilée, seul. Il règne une grande effervescence. Avant que la scène ne commence, on entend des rires énormes.

UN GROS PRÉLAT *se tient le ventre de rire.* Ô bêtise ! Ô bêtise ! Je voudrais que quelqu'un me cite une seule assertion qui ne puisse être crue.

UN SAVANT. Que vous ressentez, par exemple, une

répugnance insurmontable à l'égard des repas, monsignore !

LE GROS PRÉLAT. On le croira, on le croira. Seul ce qui est raisonnable n'est pas cru. Que le diable existe, on en doute. Mais que la terre roule comme une bille dans le ruisseau, on le croit. « *Sancta simplicitas !* »

UN MOINE *joue la comédie.* J'ai le vertige. La terre tourne trop vite. Permettez que je me retienne à vous, professeur. *Il fait semblant de chanceler et se retient à un savant.*

LE SAVANT, *jouant le même jeu.* Oui, aujourd'hui elle est encore une fois complètement saoule, la vieille. *Il se retient à un autre.*

LE MOINE. Arrêtez ! Arrêtez ! Nous glissons ! Arrêtez, vous dis-je !

UN DEUXIÈME SAVANT. Vénus est déjà tout de travers. Je ne vois plus que la moitié de son derrière, au secours !

Il se forme un agrégat de moines qui, tout en riant, font comme s'ils luttaient pour ne pas être jetés par-dessus le bord d'un navire dans la tempête.

UN DEUXIÈME MOINE. Pourvu qu'on ne nous balance pas sur la lune ! Mes frères, il paraît qu'elle a des cimes montagneuses atrocement tranchantes.

LE PREMIER SAVANT. Appuie-toi là-dessus avec ton pied.

LE PREMIER MOINE. Et ne regardez pas en bas. J'ai horreur du vide.

LE GROS PRÉLAT, *élevant exprès la voix en direction de Galilée.* Mensonge. Le Collegium Romanum ne peut être vide. *Grands éclats de rire.*

Par une porte du fond, entrent deux astronomes du Collegium. Le silence se fait.

UN MOINE. Vous continuez toujours d'examiner ? C'est un scandale !

L'UN DES ASTRONOMES, *en colère.* Nous, plus !

LE DEUXIÈME ASTRONOME. Où veut-on que ça nous mène ? Je ne comprends pas Clavius... Si l'on avait pris pour argent comptant tout ce qui s'est affirmé ces cinquante dernières années ! En l'an 1572, dans la plus haute sphère, la huitième, la sphère des étoiles fixes, une nouvelle étoile se met à briller, plutôt plus lumineuse et plus grande que toutes les étoiles avoisinantes, mais un an et demi ne s'est pas écoulé qu'elle disparaît et sombre dans le néant. Faut-il alors se demander : qu'en est-il de la durée éternelle et de l'incorruptibilité du ciel ?

LE PHILOSOPHE. Si on le leur permet, ils finiront par nous démolir tout le ciel étoilé.

LE PREMIER ASTRONOME. Oui, où allons-nous ? Cinq ans plus tard, le danois Tycho Brahé détermine la trajectoire d'une comète. Elle apparaît au-dessus de la lune et perce l'une après l'autre toutes les enveloppes des sphères, supports matériels des corps célestes en mouvement ! Elle ne rencontre aucune résistance, ne subit aucune déviation de sa lumière. Faut-il se demander : où sont les sphères ?

LE PHILOSOPHE. Mais c'est exclu ! Comment Christopher Clavius, le plus grand astronome de l'Italie et de l'Église, peut-il seulement examiner une chose pareille !

LE GROS PRÉLAT. Scandale !

LE PREMIER ASTRONOME. Et pourtant il examine ! Il est assis là-dedans et s'écarquille les yeux à ce tube diabolique !

LE DEUXIÈME ASTRONOME. « *Principiis obstat !* » Tout vient de ce que nous calculons, depuis des années, une multitude de choses, la longueur de l'année solaire, les dates des éclipses du soleil et de la lune, les positions des corps célestes, d'après les tables de Copernic qui est un hérétique.

UN MOINE. Question : vaut-il mieux connaître une éclipse de la lune trois jours plus tard que ne le dit le calendrier ou ne jamais connaître la béatitude éternelle ?

UN MOINE TRÈS MAIGRE *s'avance, une bible ouverte à la main, frappant fanatiquement du doigt un passage.* Que dit ici l'Écriture ? « Soleil, arrête-toi sur Gabaôn et toi, lune, sur la vallée d'Ayyalôn ! » Comment le soleil peut-il s'arrêter s'il ne tourne aucunement, comme l'affirment ces hérétiques. Est-ce que l'Écriture ment ?

LE DEUXIÈME ASTRONOME. Il y a des phénomènes qui font difficulté pour nous autres astronomes, mais l'homme doit-il tout comprendre ?

Les deux astronomes sortent.

LE MOINE TRÈS MAIGRE. Ils mettent sur le même plan la terre natale de l'espèce humaine et un astre errant. Ils mettent dans le même sac l'homme, l'animal, la plante et la terre, le tout sur un chariot qu'ils font tourner en rond dans un ciel vide. Terre et ciel, selon eux, n'existent plus. Plus de terre parce qu'elle est un astre du ciel et plus de ciel parce qu'il est composé de terres multiples. Voici qu'il n'y a plus de différence entre le haut et le bas, entre l'éternel et le périssable. Que nous sommes périssables, nous le savons. Que le ciel l'est aussi, voilà ce qu'ils nous disent à présent. On pensait, et c'est écrit, qu'il y a le soleil, la lune, les étoiles, et que nous vivons sur la terre ; mais désormais, la terre, elle aussi, est un corps céleste pour cet homme-là. Il n'y a que des corps célestes. Un jour viendra où ils diront : il n'y a pas non plus l'homme et la bête, l'homme lui-même est une bête, il n'y a que des bêtes !

LE PREMIER SAVANT, *à Galilée.* Monsieur Galilée, vous avez laissé tomber quelque chose.

GALILÉE *qui, pendant ce qui précède, avait tiré sa pierre de sa poche, avait joué avec elle, et à la fin l'avait laissé tomber par terre, se penchant pour la ramasser.* Monter, monsignore, je l'ai laissé monter.

LE GROS PRÉLAT *se retourne.* Homme insolent !

Entre un très vieux cardinal soutenu par un moine. On lui fait place respectueusement.

LE TRÈS VIEUX CARDINAL. Sont-ils toujours là-dedans ? Ne peuvent-ils vraiment pas venir à bout de cette bagatelle, plus vite ? Ce Clavius devrait pourtant connaître son astronomie ! J'ai ouï dire que ce monsieur Galilée déplace l'homme du centre de l'univers pour le reléguer quelque part dans la marge. Il est par conséquent très clairement un ennemi de l'espèce humaine ! Il faut le traiter comme tel. L'homme est le joyau de la Création, tous les enfants le savent, il est la créature de Dieu la plus parfaite et la plus aimée. Comment pourrait-il placer une telle merveille, fruit de tant d'efforts, sur un minuscule petit astre à l'écart de tout et toujours fuyant ? Enverrait-il son Fils dans un tel endroit ? Comment peut-il y avoir des gens assez pervers pour croire à ces esclaves des tables de calculs ! Quelle créature de Dieu pourrait tolérer une telle chose ?

LE GROS PRÉLAT, *à mi-voix.* Le monsieur est présent.

LE TRÈS VIEUX CARDINAL, *à Galilée.* Ainsi, c'est vous ? Je n'y vois plus très bien, vous savez, mais je vois tout de même que vous ressemblez beaucoup à cet homme – comment s'appelait-il déjà ? – que nous avons brûlé en son temps.

LE MOINE. Votre Éminence ne devrait pas s'emporter. Le médecin...

LE TRÈS VIEUX CARDINAL *le repousse et s'adresse à Galilée.* Vous voulez avilir la terre alors que vous vivez sur elle et que vous recevez tout d'elle. Vous souillez votre propre nid ! Mais moi, quoiqu'il arrive, je ne le tolérerai pas. *Il écarte le moine et commence à déambuler avec fierté de long en large.* Je ne suis pas n'importe quel être sur n'importe quel petit astre qui tourne en rond, pour quelque temps, n'importe où. Je marche d'un pas assuré sur une terre ferme, elle est fixe, elle est le centre de l'univers, et moi, je suis au centre, et l'œil du Créateur est fixé sur moi et sur moi seul. Autour de moi, rivées aux huit sphères de cristal, tournent les étoiles fixes et le soleil prodigieux qui a été créé pour éclairer ce qui m'entoure, et moi avec, pour que Dieu me voie. Ainsi, visiblement et irréfutablement, tout dépend de moi, l'homme, fruit de l'effort divin, la créature en son milieu, l'image de Dieu, impérissable et... *Il s'effondre.*

LE MOINE. Votre Éminence a trop présumé de ses forces !

À cet instant la porte du fond s'ouvre et à la tête de ses astronomes, le grand Clavius entre. Il traverse la salle en silence et vite, regardant droit devant lui ; sur le point de sortir, il s'adresse à un moine.

CLAVIUS. C'est juste.

Il sort, suivi des astronomes. La porte du fond reste ouverte. Silence de mort. Le très vieux cardinal revient à lui.

LE TRÈS VIEUX CARDINAL. Qu'y a-t-il ? Le verdict est tombé ?

Personne n'ose lui répondre.

LE MOINE. Votre Éminence doit être reconduite.

On aide le vieil homme à sortir. Tous quittent la salle, troublés.

Un petit moine, qui faisait partie de la commission d'enquête de Clavius, s'arrête près de Galilée.

LE PETIT MOINE, *furtivement.* Monsieur Galilée, le père

Clavius a dit avant de s'en aller : maintenant aux théologiens de voir comment remboîter les sphères célestes ! Vous avez gagné. *Il sort.*

GALILÉE *cherche à le retenir.* Elle a gagné ! La raison a gagné, pas moi !

Le petit moine est déjà loin.

Galilée s'en va également. Sur le pas de la porte il croise un ecclésiastique de haute taille, le cardinal inquisiteur. Un astronome l'accompagne. Galilée s'incline. Avant de sortir il pose en chuchotant une question à l'huissier.

L'HUISSIER, *chuchotant de même.* Son Éminence le cardinal inquisiteur.

L'astronome conduit le cardinal inquisiteur à la lunette.

7

MAIS L'INQUISITION MET À L'INDEX LA THÉORIE DE COPERNIC (5 MARS 1616).

> Galilée fêta carnaval
> Dans un palais de cardinal.
> Il eut à boire et à manger.
> Mais à quoi l'avait-on convié ?

La résidence du cardinal Bellarmin à Rome. On y donne un bal. Dans le vestibule, où deux secrétaires ecclésiastiques jouent aux échecs tout en prenant des notes sur les invités, Galilée est accueilli par les applaudissements d'un petit groupe de dames et de seigneurs masqués. Il est en compagnie de sa fille et de Ludovico Marsili, le fiancé de Virginia.

VIRGINIA. Je ne danse avec personne d'autre, Ludovico.

LUDOVICO. L'agrafe à ton épaule est défaite.

GALILÉE.

« Ce voile sur ta gorge, légèrement écarté, Thaïs,
    Ne le rajuste pas. Maints désordres plus profonds
    Il me laisse entrevoir avec délice,
    Et à d'autres aussi. Sous la lumière des chandelles
    D'une salle foisonnante, ils pourront songer
    À des endroits plus sombres du parc qui attend. »

VIRGINIA. Sens mon cœur.

GALILÉE *pose la main sur son cœur*. Il bat.

VIRGINIA. Je voudrais qu'on me trouve belle.

GALILÉE. Il le faut, sans quoi ils douteront de nouveau qu'elle tourne.

LUDOVICO. Mais elle ne tourne absolument pas. *Galilée rit.* Rome ne parle que de vous. À partir de ce soir, monsieur, on parlera de votre fille.

GALILÉE. On dit qu'il est facile de paraître beau dans le printemps romain. Même moi, je dois passer pour un Adonis, en plus corpulent. *Aux secrétaires.* Je devais attendre ici Son Éminence. *Au couple.* Allez et amusez-vous !

Avant d'aller vers le fond rejoindre le bal, Virginia revient sur ses pas en courant.

VIRGINIA. Père, le coiffeur de la via del Trionfo m'a prise en premier et il a fait attendre quatre autres dames. Il a tout de suite reconnu ton nom. *Elle sort.*

GALILÉE, *aux secrétaires qui jouent aux échecs.* Comment pouvez-vous encore jouer aux échecs selon les anciennes règles ? Étroit, étroit. On peut pourtant désormais faire mouvoir certaines figures à travers tout l'échiquier. La tour ainsi – *il leur montre* –, le fou de cette manière, et la dame, comme ça et comme ça. Cela vous donne de l'espace, alors on peut échafauder des plans.

UN DES SECRÉTAIRES. Avec les salaires qui sont les

nôtres, ça n'irait pas, vous savez. Nous ne pouvons faire que ce genre d'écarts. *Il joue un coup de faible amplitude.*

GALILÉE. Au contraire, mon cher, au contraire ! Qui vit sur un grand pied se voit offrir les plus grandes bottes. Il faut marcher avec son temps, messieurs. Pas seulement le long des côtes ; un jour il faut prendre le large.

Le très vieux cardinal de la scène précédente traverse le plateau, flanqué de son moine. Il aperçoit Galilée, passe à côté de lui, puis se retourne, hésitant, et le salue. De la salle du bal parvient, chanté par de jeunes garçons, le début du célèbre poème de Lorenzo de Médicis sur l'éphémère :

« Moi qui ai vu tant de roses mourir
  Et leurs pâles pétales se flétrir,
  Joncher la terre froide, je sais bien
  Comme l'éclat de la jeunesse est vain. »

GALILÉE. Rome. Fête grandiose ?

LE PREMIER SECRÉTAIRE. Le premier carnaval depuis les années de la peste. Toutes les grandes familles de l'Italie sont ce soir représentées. Les Orsini, Villani, Nuccoli, Soldanieri, Cane, Lecchi, Estensi, Colombini.

LE DEUXIÈME SECRÉTAIRE *l'interrompt.* Leurs Éminences, les cardinaux Bellarmin et Barberini.

Entrent le cardinal Bellarmin et le cardinal Barberini. Ils tiennent devant leur visage, au bout d'un bâton, les masques d'un agneau et d'une colombe.

BARBERINI, *pointant l'index vers Galilée.* « Le soleil se lève et se couche et revient au lieu d'où il se lève. » Voilà ce que dit Salomon, et que dit Galilée ?

GALILÉE. Alors que je n'étais pas plus grand que ça – *il indique de la main la taille qu'il avait* –, Votre Éminence, je me trouvais sur un bateau et j'ai crié :

le rivage s'en va. Aujourd'hui je sais que le rivage était immobile et que c'est le bateau qui s'en allait.

BARBERINI. Habile, habile. Ce qu'on voit, Bellarmin, à savoir que le ciel étoilé tourne, n'est pas nécessairement vrai, témoin bateau et rivage. Mais ce qui est vrai, à savoir que la terre tourne, on ne peut pas le percevoir ! Habile. Ses lunes de Jupiter tout de même sont dures à avaler pour nos astronomes. J'ai malheureusement étudié autrefois un peu d'astronomie, Bellarmin. Cela vous poursuit comme la gale.

BELLARMIN. Soyons de notre temps, Barberini. Si des cartes du ciel, qui se fondent sur une hypothèse nouvelle, facilitent la navigation à nos marins, qu'ils utilisent ces cartes. Seules nous déplaisent les théories qui rendent l'Écriture fausse. *Il fait un signe de salutation en direction de la salle du bal.*

GALILÉE. L'Écriture. « Celui-là qui accapare le blé, le peuple le maudira. » Proverbes de Salomon.

BARBERINI. « Le sage dissimule son savoir. » Proverbes de Salomon.

GALILÉE. « Là où sont les bœufs, l'étable est souillée. Mais on tire grands profits de la force du bœuf. »

BARBERINI. « Celui qui sait brider sa raison vaut mieux que le preneur de ville. »

GALILÉE. « Mais celui dont l'esprit est brisé voit ses os se dessécher. » *Un temps.* « La vérité ne crie-t-elle pas haut et fort ? »

BARBERINI. « Peut-on poser le pied sur des charbons ardents et ne pas se brûler le pied ? » Bienvenue à Rome, ami Galilée. Vous connaissez la légende ? Deux petits garçons, dit la fable, reçurent lait et protection d'une louve. Depuis lors, tous les enfants de la louve doivent payer leur lait. Mais en retour, la louve procure toutes sortes de délectations célestes aussi bien que terrestres, allant des conversations avec mon érudit ami Bellarmin, jusqu'à trois ou quatre dames de réputation internationale – puis-je vous les montrer ?

Il entraîne Galilée vers le fond pour lui montrer la salle du bal. Galilée le suit en renâclant.

BARBERINI. Non ? Il tient à une conversation sérieuse. Bon. Êtes-vous certain, ami Galilée, que vous autres astronomes, ne voulez pas tout simplement rendre votre astronomie plus commode ? *Il retourne avec lui sur le devant du théâtre.* Vous pensez en termes de cercles, ou d'ellipses, et de vitesse uniforme, en termes de mouvements simples qui correspondent à vos cerveaux. Et s'il avait plu à Dieu de faire aller les astres ainsi ? *Il dessine avec le doigt dans l'air à une vitesse irrégulière une trajectoire extrêmement compliquée.* Qu'adviendrait-il alors de vos calculs ?

GALILÉE. Éminence, si Dieu avait construit le monde ainsi – *il reproduit la trajectoire de Barberini –*, alors il aurait également construit nos cerveaux ainsi – *il reproduit la même trajectoire –*, de sorte qu'ils reconnaîtraient ces trajectoires-là comme étant les plus simples. Je crois en la raison.

BARBERINI. La raison ne suffit pas. Il se tait. Il est trop poli pour dire maintenant que la mienne ne lui suffit pas. *Il rit et retourne à la balustrade.*

BELLARMIN. La raison, mon ami, ne mène pas très loin. Autour de nous nous ne voyons que fausseté, crimes et faiblesse. Où est la vérité ?

GALILÉE, *courroucé.* Je crois en la raison.

BARBERINI, *aux secrétaires.* Vous n'avez pas à prendre note, ceci est une conversation scientifique entre amis.

BELLARMIN. Réfléchissez un instant à ce qu'il en a coûté de peine et de réflexion aux Pères de l'Église, et à tant d'autres après eux, pour donner un peu de sens au monde tel qu'il est – et n'est-il pas abominable ? Réfléchissez à la barbarie de ceux qui font travailler sous le fouet des paysans à moitié nus, dans leurs terres de Campanie, et à la bêtise de ces misérables qui, en retour, leur baisent les pieds.

GALILÉE. Une infamie ! Au cours de mon voyage pour me rendre ici, j'ai vu...

BELLARMIN. Pour ce qui est du sens de ces phénomènes que nous ne pouvons saisir – et la vie en est pleine – nous en avons attribué la responsabilité à un être suprême, nous avons dit que cela servait certains desseins et que tout cela découlait d'un vaste plan. Nous n'avons certes pas obtenu par là un total apaisement, mais à présent, vous accusez cet être suprême de ne pas savoir clairement comment se meut le monde des astres, ce que vous, par contre, sauriez clairement. Est-ce sage ?

GALILÉE, *se lançant dans une explication.* Je suis un fils fidèle de l'Église...

BARBERINI. Il est épouvantable. Il veut, en toute innocence, démontrer que Dieu a fait les plus grosses bourdes en astronomie ! Quoi, Dieu n'a pas étudié avec assez de soin l'astronomie avant de rédiger les Saintes Écritures ? Cher ami !

BELLARMIN. Ne vous semble-t-il pas probable, à vous aussi, que le Créateur connaît mieux ce qu'il a créé que ne le peut sa créature ?

GALILÉE. Mais après tout, messieurs, l'homme peut mal interpréter non seulement les mouvements des astres mais également la Bible !

BELLARMIN. Mais après tout, c'est aux théologiens de la Sainte Église qu'il revient de décider comment interpréter la Bible, non ?
Galilée se tait.

BELLARMIN. Vous voyez : à présent, vous vous taisez.

Il fait un signe aux secrétaires. Monsieur Galilée, le Saint-Office a décrété cette nuit que la théorie de Copernic, selon laquelle le soleil est au centre du monde et immobile alors que la terre n'est pas au centre du monde et se meut, est folle, absurde, hérétique au regard de la foi. J'ai mission de vous exhorter à renoncer cette opinion. *Au premier secrétaire.* Répétez cela.

LE PREMIER SECRÉTAIRE. Son Éminence le cardinal Bellarmin au dénommé Galileo Galilei : le Saint-Office a décrété que la théorie de Copernic, selon laquelle le soleil est au centre du monde et immobile alors que la terre n'est pas au centre du monde et se meut, est folle, absurde, hérétique au regard de la foi. J'ai mission de vous exhorter à renoncer cette opinion.

GALILÉE. Qu'est-ce que cela signifie ?
De la salle du bal parvient, chantée par de jeunes garçons, une autre strophe du poème.
« *J'ai dit, la belle saison passe vite :*
  Cueille la rose, nous sommes encore en mai. »
Barberini fait signe à Galilée de se taire tant que dure la chanson. Ils écoutent.

GALILÉE. Mais les faits ? J'avais cru comprendre que les astronomes du Collegium Romanum avaient reconnu la réalité de mes observations.

BELLARMIN. Avec l'expression de la plus profonde satisfaction, et de la manière la plus honorable pour vous.

GALILÉE. Mais les satellites de Jupiter, les phases de Vénus ?

BELLARMIN. La Sainte Congrégation a pris sa décision sans prendre connaissance de ces détails.

GALILÉE. Cela signifie que toute recherche scientifique ultérieure...

BELLARMIN. Est pleinement garantie, monsieur Galilée. Et cela conformément à la doctrine de l'Église qui dit que nous ne pouvons pas savoir mais sommes libres de chercher. *Il salue à nouveau un invité dans la salle du bal.* Vous êtes libre d'étudier même cette théorie-là, mais sous la forme d'une hypothèse mathématique. La science est la fille légitime et bien-aimée de l'Église, monsieur Galilée. Personne d'entre nous ne suppose sérieusement que vous voulez saper la confiance en l'Église.

GALILÉE, *courroucé.* On épuise la confiance à trop exiger d'elle.

BARBERINI. Vraiment ? *Il lui tape sur l'épaule en riant aux éclats. Puis il le regarde avec insistance et lui dit, non sans bienveillance.* Ne jetez pas l'enfant avec l'eau du bain, ami Galilée. Nous-mêmes, nous ne le faisons pas. Nous avons besoin de vous, plus que vous de nous.

BELLARMIN. Je brûle de présenter le plus grand mathématicien d'Italie au commissaire du Saint-Office qui a pour vous la plus grande considération.

BARBERINI, *prenant Galilée par l'autre bras.* Sur quoi, il se métamorphose à nouveau en agneau. Vous aussi, cher ami, vous auriez mieux fait de paraître ici costumé en brave docteur de la doctrine établie. C'est mon masque qui me permet aujourd'hui quelque liberté. Dans un tel costume vous pourriez m'entendre murmurer : si Dieu n'existait pas, il faudrait l'inventer. Bien, remettons nos masques. Le pauvre Galilée n'en a pas.
Ils prennent Galilée de part et d'autre par le bras et l'entraînent vers la salle du bal.

LE PREMIER SECRÉTAIRE. As-tu la dernière phrase ?

LE DEUXIÈME SECRÉTAIRE. Je finis de la transcrire. *Ils*

écrivent avec application. As-tu celle où il dit qu'il croit en la raison ?

Entre le cardinal inquisiteur.

L'INQUISITEUR. L'entretien a eu lieu ?

LE PREMIER SECRÉTAIRE, *mécaniquement.* D'abord est venu monsieur Galilée avec sa fille qui s'est fiancée aujourd'hui avec... *L'inquisiteur fait signe de passer.* Ensuite monsieur Galilée nous a enseigné la nouvelle façon de jouer aux échecs où, contrairement à toutes les règles du jeu, on bouge les figures à travers tout l'échiquier.

L'INQUISITEUR *l'interrompt.* Le procès-verbal.

Un secrétaire lui remet le procès-verbal, et le cardinal s'assied pour le parcourir. Deux jeunes dames masquées traversent la scène et font en passant la révérence au cardinal.

L'UNE. Qui est-ce ?

L'AUTRE. Le cardinal inquisiteur.

Elles gloussent de rire et sortent. Entre Virginia, regardant alentour, à la recherche de quelqu'un.

L'INQUISITEUR, *de son coin.* Eh bien, ma fille ?

VIRGINIA, *quelque peu effrayée, car elle ne l'avait pas vu.* Oh, Votre Éminence !

Sans lever les yeux, l'inquisiteur lui tend la main droite. Elle s'approche, s'agenouille et baise l'anneau.

L'INQUISITEUR. Une superbe nuit ! Permettez-moi de vous féliciter pour vos fiançailles. Votre fiancé est de noble famille. Vous nous restez à Rome ?

VIRGINIA. Pas dans l'immédiat, Votre Éminence. Il y a tant à préparer pour un mariage.

L'INQUISITEUR. Ainsi donc, vous repartez pour Florence avec votre père. Je m'en réjouis. Je peux bien m'imaginer que votre père a besoin de vous. La mathématique est une froide compagne, non ? Un être de chair et de sang dans un tel environnement, cela change tout. Il est si facile de se perdre dans l'univers des astres qui est si vaste, quand on est un grand homme.

VIRGINIA, *le souffle coupé.* Vous êtes très bon, Éminence. Vraiment, je ne comprends presque rien à ces choses.

L'INQUISITEUR. Non ? *Il rit.* Dans la maison du pêcheur on ne mange pas de poisson, n'est-ce pas ? Cela amusera monsieur votre père d'apprendre que vous tenez finalement de moi ce que vous savez de l'univers des astres, mon enfant. *Feuilletant le procès-verbal.* Je lis ici que les novateurs, dont le chef de file reconnu dans le monde entier est monsieur votre père, un grand homme, un des plus grands, considèrent que l'importance accordée à notre chère terre, dans nos représentations actuelles, est un peu exagérée. Or depuis l'époque de Ptolémée, un sage de l'Antiquité, et jusqu'à aujourd'hui, on estimait l'étendue de toute la création, donc de l'ensemble de la sphère de cristal au milieu de laquelle repose la terre, à environ vingt mille diamètres terrestres. Une belle étendue, mais trop petite, largement trop petite pour des novateurs. Elle est, comme nous nous l'entendons dire, incroyablement plus vaste et la distance de la terre au soleil, une distance tout à fait significative comme il nous a toujours semblé, est si minuscule comparée à celle séparant notre pauvre terre des étoiles fixes qui sont attachées à la sphère la plus externe, qu'on n'a même pas besoin d'en tenir compte dans les calculs. Et il faudrait dire encore après cela, que ces novateurs ne vivent pas sur un grand pied.

Virginia rit. L'inquisiteur rit aussi.

L'INQUISITEUR. Et d'ailleurs récemment, quelques messieurs du Saint-Office se sont pour ainsi dire offusqués d'une telle représentation du monde, au côté de laquelle celle qui était la nôtre jusqu'à présent n'est qu'une miniature qu'on pourrait mettre autour d'un cou ravissant, comme l'est celui de certaines jeunes filles. Ils craignent que, sur des distances aussi énormes, un prélat ou même un cardinal ne se perdent facilement. Même un pape, le Tout-Puissant pourrait le perdre de vue. Oui, c'est amusant, mais je suis bien heureux de vous savoir encore près de votre père, ce grand homme que nous estimons tous tellement, chère enfant. Je me demande si je ne connais pas votre confesseur...

VIRGINIA. Le père Christophorus de Sainte-Ursule.

L'INQUISITEUR. Oui, je me réjouis qu'ainsi vous accompagniez votre père. Il aura besoin de vous, vous ne pouvez sans doute pas l'imaginer mais il en sera ainsi. Vous êtes encore si jeune et si réelle, toute de chair et de sang, et la grandeur n'est pas toujours facile à porter pour ceux que Dieu en a doté, pas toujours, non. Nul d'entre les mortels n'est au fond si grand qu'on ne puisse l'inclure dans une prière. Mais voilà que je vous retiens, chère enfant, et que je rends jaloux votre fiancé, et votre cher père aussi peut-être, tout cela parce que je vous ai raconté sur les astres des choses qui sont même sans doute dépassées. Allez vite danser, mais n'oubliez pas de saluer de ma part le père Christophorus.

Virginia sort rapidement après une ample révérence.

8

UNE CONVERSATION

> Comme il méditait le décret
> Galilée vit venir à lui
> Un petit moine fort instruit
> Qui voulait savoir le secret
> Pour trouver la voie du savoir.

Dans le palais de l'ambassadeur florentin à Rome, Galilée écoute le petit moine, celui-là même qui lui avait chuchoté à l'oreille ce qu'avait dit l'astronome papal, après la séance du Collegium Romanum.

GALILÉE. Parlez, parlez ! L'habit que vous portez vous donne le droit de dire tout ce que vous voulez.

LE PETIT MOINE. J'ai étudié la mathématique, monsieur Galilée.

GALILÉE. Cela pourrait ne pas avoir été inutile si cela vous amenait à reconnaître que deux et deux font de temps en temps quatre !

LE PETIT MOINE. Monsieur Galilée, je n'en dormais plus depuis trois nuits. Je ne savais comment concilier le décret que j'ai lu et les satellites de Jupiter que j'ai vus. J'ai décidé de dire la messe ce matin tôt, et puis de venir chez vous.

GALILÉE. Pour me faire savoir que Jupiter n'a pas de satellites ?

LE PETIT MOINE. Non. J'ai réussi à pénétrer la sagesse de ce décret. Il m'a révélé quels dangers recèle pour l'humanité une recherche sans entraves, et j'ai résolu d'abandonner l'astronomie. Pourtant, il m'importe encore de vous soumettre les mobiles qui peuvent pousser même un astronome à renoncer au développement de certaines théories.

GALILÉE. Ces mobiles me sont connus, je crois.

LE PETIT MOINE. Je comprends votre amertume. Vous songez à certains moyens de pression extraordinaires de l'Église.

GALILÉE. Nommez-les sans crainte : instruments de torture.

LE PETIT MOINE. Mais je voudrais avancer d'autres raisons. Permettez que je parle de moi. J'ai grandi en Campanie, je suis fils de paysans. Ce sont des gens simples. Ils savent tout de l'olivier, mais pour le reste, bien peu de choses. Alors que j'observe les phases de Vénus, je me représente mes parents assis avec ma sœur autour du feu, mangeant leur plat de fromage. Je vois au-dessus d'eux les poutres noircies par la fumée de plusieurs siècles, et je vois parfaitement leurs vieilles mains usées par le travail et la cuiller dans leurs mains. Tout ne va pas bien pour eux et pourtant, un certain ordre gît, caché, dans leur misère même. Elle a ses différents cycles : allant des grandes lessives à celui de l'impôt en passant par celui des saisons dans les champs d'oliviers. Il y a de la régularité dans les malheurs qui les frappent. Le dos de mon père s'est tassé, non pas en une seule fois mais un peu plus à chaque printemps passé dans les champs d'oliviers ; tout comme les naissances qui ont fait peu à peu de ma mère une créature sans sexe, ont eu lieu à des intervalles bien précis. La force de traîner, ruisselants de sueur, leurs paniers en haut du chemin pierreux, la force de mettre au monde des enfants, oui, de manger même, ils la puisent dans le sentiment de permanence et de nécessité que leur procurent le spectacle de la terre, la vue des arbres qui verdissent à nouveau chaque année, et celle de leur petite église où l'on écoute le dimanche les textes bibliques. On leur a assuré que l'œil de la divinité est posé sur eux, scrutateur, oui, presque angoissé, que tout le théâtre du monde est construit autour d'eux afin qu'eux, les agissants, puissent faire leurs preuves dans leurs rôles grands ou petits. Que diraient les miens s'ils apprenaient de moi qu'ils se trouvent sur un petit amas de pierres qui, tournant à l'infini dans l'espace vide, se meut autour d'un autre astre, petit amas parmi beaucoup d'autres, passablement insignifiant de surcroît. À quoi serait encore utile ou bonne alors, une telle patience, une telle acceptation de leur misère ? À quoi serait bonne encore l'Écriture sainte qui a tout expliqué et tout justifié comme étant nécessaire, la sueur, la patience, la faim, la soumission et en qui maintenant on trouve tant d'erreurs ? Non, je vois leurs regards s'emplir de crainte, je les vois poser leurs cuillers sur la pierre du foyer, je vois comme ils se sentent trahis et trompés. Il n'y a donc aucun œil posé sur nous, disent-ils. C'est à nous d'avoir l'œil sur nous, incultes, vieux et usés comme nous le sommes ? Personne ne nous a pourvus d'un autre rôle que celui-ci, terrestre, pitoyable, sur un astre minuscule, dans la dépendance de tout, autour duquel rien ne tourne ? Il n'y a aucun sens à notre misère, la faim, c'est bien ne-pas-avoir-mangé, ce n'est pas une mise à l'épreuve ; l'effort, c'est bien se courber et tirer, pas un mérite. Comprenez-vous alors que je lise dans le décret de la sainte Congrégation une noble compassion maternelle, une grande bonté d'âme ?

GALILÉE. Bonté d'âme ! Sans doute voulez-vous simplement dire qu'il n'y a plus rien à manger, que le vin est bu, que leurs lèvres se dessèchent, et qu'ils n'ont plus qu'à baiser la soutane ! Mais pourquoi n'y a-t-il jamais rien ? Pourquoi l'ordre dans ce pays est-il seulement l'ordre d'une huche vide, et la seule nécessité, celle de travailler jusqu'à en mourir ? Entre des vignobles chargés de fruits, au bord des champs de blé ! Vos paysans de Campanie payent les guerres que le vicaire du doux Jésus mène en Espagne et en Allemagne. Pourquoi met-il la terre au centre de l'univers ? Pour que le Saint-Siège puisse être au centre de la terre ! C'est de cela qu'il s'agit. Vous avez raison, il ne s'agit pas des planètes mais des paysans de Campanie. Et ne me parlez pas de la beauté des phénomènes que l'âge a magnifiés ! Savez-vous comment l'huître margaritifère produit sa perle ? Au cours d'une maladie qui menace sa vie, elle enrobe dans une boule de glaire un corps étranger insupportable, un grain de sable par exemple. Elle en crèverait, presque. Au diable la perle, je préfère l'huître saine. Les vertus ne sont pas liées à la misère, mon cher. Si vos gens étaient prospères et heureux, ils pourraient développer les vertus de la prospérité et du bonheur. Pour l'heure, ces vertus de gens épuisés proviennent de terres épuisées et je les refuse. Mes nouvelles pompes à eau peuvent faire plus de miracles que votre ridicule harassement surhumain. « Croissez et multiplicz », car les champs sont stériles et les guerres vous déciment. Dois-je mentir à vos gens ?

LE PETIT MOINE, *dans une grande agitation.* Ce sont les plus hauts mobiles qui doivent nous faire taire, c'est la paix de l'âme des malheureux !

GALILÉE. Voulez-vous voir une horloge de Cellini que le cocher du cardinal Bellarmin a déposée ici ce matin ? Mon cher, pour me récompenser de laisser en paix l'âme de vos bons parents par exemple, les autorités m'offrent le vin qu'ils ont pressé à la sueur de leur front, lequel, comme chacun sait, a été créé à l'image de Dieu. Si j'étais prêt à me taire, ce serait sans doute pour des mobiles bien bas : bien-être, absence de poursuites, et caetera...

LE PETIT MOINE. Monsieur Galilée, je suis prêtre.

GALILÉE. Vous êtes aussi physicien. Et vous voyez que Vénus présente des phases. Là, regarde au-dehors ! *Il montre quelque chose par la fenêtre.* Vois-tu là-bas le petit Priape près de la source à côté du laurier ? Le dieu des jardins, des oiseaux et des voleurs, le rustre obscène deux fois millénaire ! Celui-là mentait moins. N'en disons rien, bon, je suis aussi un fils de l'Église. Mais connaissez-vous la huitième satire d'Horace ? Je le relis ces jours-ci, il procure un certain équilibre. *Il saisit un petit livre.* Il fait précisément parler ce Priape, une petite statue posée dans les jardins de l'Esquilin. Cela commence ainsi :
« J'étais autrefois une bûche de figuier.
    Un bois sans valeur, quand l'artisan, ne sachant
    Que faire de moi, un Priape ou un escabeau,
    Se décida pour le dieu... »
Croyez-vous qu'Horace se serait laissé interdire l'escabeau pour se voir imposer une table dans le poème ? Monsieur, mon sens de la beauté est blessé si, dans ma représentation du monde, Vénus n'a pas de phases ! Nous ne pouvons pas inventer des machineries pour monter l'eau des fleuves s'il nous est interdit d'étudier la plus grande machinerie qui se trouve sous nos yeux, celle des corps célestes. La somme des angles d'un triangle ne peut pas être modifiée selon les besoins de la Curie. Je ne peux pas calculer les trajectoires des corps dans les airs de telle sorte que les chevauchées des sorcières sur leurs manches à balai s'en trouvent également expliquées.

Le petit moine. Et vous ne croyez pas que la vérité, si c'est la vérité, s'impose même sans nous ?

Galilée. Non, non, non. Seule s'impose la part de vérité que nous imposons ; la victoire de la raison ne peut être que la victoire des êtres raisonnables. Vous décrivez déjà vos paysans de Campanie comme la mousse sur leurs cabanes ! Comment quelqu'un peut-il supposer que la somme des angles d'un triangle puisse contredire leurs besoins ! Mais s'ils ne se mettent pas en mouvement et n'apprennent pas à penser, les plus beaux systèmes d'irrigation ne leur serviront en rien. Diable, je vois la divine patience de vos gens, mais où est leur divine colère ?

Le petit moine. Ils sont fatigués !

Galilée *lui jette un paquet de manuscrits.* Es-tu physicien mon fils ? Ici est expliqué pourquoi l'océan se meut selon le flux et le reflux. Mais tu ne dois pas le lire, entends-tu ? Ah, tu lis déjà ? Tu es donc physicien ?

Le petit moine s'est plongé dans les papiers.

Galilée. Une pomme de l'arbre de la connaissance ! Il s'en gave déjà. Il est damné pour l'éternité, mais il faut qu'il s'en gave, le malheureux bâfreur ! Il m'arrive de penser que je pourrais me laisser enfermer dix brasses sous terre dans un cachot où nulle lumière ne pénètre plus si j'apprenais en échange ce que c'est, la lumière. Et le pis est que ce que je sais, je suis forcé de le dire à d'autres. Comme un amoureux, comme un ivrogne, comme un traître. C'est un vice absolu, et il conduit au malheur. Combien de temps vais-je pouvoir le crier dans le noir – telle est la question.

Le petit moine *montre un endroit dans le manuscrit.* Je ne comprends pas cette phrase.

Galilée. Je vais te l'expliquer, je vais te l'expliquer.

9

L'AVÈNEMENT D'UN NOUVEAU PAPE, QUI EST LUI-MÊME UN
HOMME DE SCIENCE, ENCOURAGE GALILÉE, APRÈS HUIT
ANS DE SILENCE, À REPRENDRE SES RECHERCHES DANS LE
DOMAINE INTERDIT DES TACHES SOLAIRES

> La vérité en poche
> Et la langue sous cloche
> Il s'est tu huit ans, mais en vain
> Vérité, poursuis ton chemin

La maison de Galilée à Florence. Les disciples de Galilée, Federzoni, le petit moine et Andrea Sarti, un jeune homme à présent, sont réunis pour un cours de physique expérimentale. Galilée, lui-même, debout, lit un livre. Virginia et madame Sarti cousent un trousseau.

VIRGINIA. Coudre un trousseau est une chose joyeuse. Ça, c'est pour une longue table d'invités, Ludovico aime avoir des invités. Seulement ce doit être cousu proprement, sa mère voit le moindre fil. Elle n'est pas d'accord avec les livres de mon père. Pas plus que le père Christophorus.

MADAME SARTI. Il n'a plus écrit de livres depuis des années.

VIRGINIA. Je crois qu'il a compris qu'il se trompait. À Rome, un seigneur du très haut clergé m'a expliqué beaucoup de choses de l'astronomie. Les distances sont trop grandes.

ANDREA, *tandis qu'il écrit le pensum du jour au tableau.* « Jeudi après-midi. Corps flottants. » – Et encore de la glace ; une bassine remplie d'eau ; une balance ;

une aiguille de fer ; un Aristote. *Il va chercher les divers éléments.*

Les autres consultent des livres. Entre Filippo Mucius, un savant d'âge moyen. Il paraît quelque peu agité.

MUCIUS. Pourriez-vous dire à monsieur Galilée qu'il doit me recevoir. Il me condamne sans m'écouter.

MADAME SARTI. Mais puisqu'il ne veut pas vous recevoir.

MUCIUS. Dieu vous récompensera si vous l'en priez. Je dois lui parler.

VIRGINIA *va à l'escalier.* Père !

GALILÉE. Qu'y a-t-il ?

VIRGINIA. Monsieur Mucius !

GALILÉE, *levant les yeux brusquement, va à l'escalier, ses disciples à sa suite.* Que désirez-vous ?

MUCIUS. Monsieur Galilée, je vous demande la permission de vous expliquer les passages de mon livre où il semble que je condamne les théories coperniciennes sur la rotation de la terre. J'ai...

GALILÉE. Que voulez-vous encore expliquer ? Vous êtes en accord avec le décret de 1616 de la sainte Congrégation. Vous êtes pleinement dans votre droit. Il est vrai que vous avez étudié la mathématique ici, mais cela ne nous donne pas le droit d'entendre de vous que deux et deux font quatre. Vous avez tout le droit de dire que cette pierre – *il sort une petite pierre de sa poche et la jette au bas de l'escalier –*, vient de s'envoler par là-haut, jusqu'au toit.

MUCIUS. Monsieur Galilée, je...

GALILÉE. N'invoquez pas les difficultés ! Moi, la peste ne m'a pas empêché de poursuivre mes observations.

MUCIUS. Monsieur Galilée, la peste n'est pas le pire.

GALILÉE. Je vous le dis : qui ne connaît la vérité n'est qu'un imbécile. Mais qui, la connaissant, la nomme mensonge, celui-là est un criminel ! Sortez de ma maison !

MUCIUS, *sans voix.* Vous avez raison. *Il sort.*

Galilée retourne à son cabinet de travail.

FEDERZONI. Malheureusement c'est ainsi. Ce n'est pas un grand homme, et ils n'auraient pour lui sans doute aucune considération s'il n'avait pas été votre élève. Mais naturellement ils peuvent dire maintenant qu'il a tout entendu de ce que Galilée avait à enseigner, et il doit bien avouer que tout est faux.

MADAME SARTI. Ce monsieur me fait pitié.

VIRGINIA. Père l'aimait trop.

MADAME SARTI. J'aurais aimé parler avec toi de ton mariage, Virginia. Tu es encore un être si jeune, et de mère, tu n'en as pas, et ton père pose ces morceaux de glace sur l'eau. Toujours est-il que je ne te conseillerais pas de lui demander quoi que ce soit au sujet de ton mariage. Toute une semaine durant, et au repas bien entendu, quand les jeunes gens sont présents, il dirait les pires choses car il n'a pas pour un demi-écu de pudeur, n'en a jamais eu. D'ailleurs, je ne pense pas à ces choses-là, mais tout simplement à comment sera l'avenir. Moi, je ne peux rien t'en dire, je suis une personne inculte. Mais on n'entre pas à l'aveugle dans une affaire aussi sérieuse. Vraiment je pense que tu devrais aller voir à l'université un véritable astronome pour qu'il dresse ton horoscope, alors tu saurais à quoi t'en tenir. Pourquoi ris-tu ?

VIRGINIA. Parce que c'est déjà fait.

MADAME SARTI, *très avide de savoir.* Qu'a-t-il dit ?

VIRGINIA. Je dois faire attention pendant trois mois parce qu'alors le soleil est au Capricorne, mais après, j'aurai un ascendant extrêmement favorable, et les nuages se dissiperont. Si je ne quitte pas des yeux

Jupiter, je peux entreprendre n'importe quel voyage, car je suis Capricorne.

MADAME SARTI. Et Ludovico ?

VIRGINIA. C'est un Lion. *Après un petit temps.* Il serait sensuel.

Un temps.

VIRGINIA. Je connais ce pas. C'est celui du recteur, monsieur Gaffone.

Entre monsieur Gaffone, le recteur de l'université.

GAFFONE. Je ne fais qu'apporter un livre qui peut-être intéressera votre père. Je vous prie, pour l'amour du ciel, de ne pas déranger monsieur Galilée. C'est plus fort que moi, j'ai toujours l'impression que chaque minute qu'on vole à ce grand homme, on la vole à l'Italie. Je pose le livre bien soigneusement entre vos mains et me retire sur la pointe des pieds. *Il sort.*

Virginia donne le livre à Federzoni.

GALILÉE. Ça parle de quoi ?

FEDERZONI. Je ne sais pas. *Il épelle.* « *De maculis in sole.* »

ANDREA. Des taches du soleil. Encore un !

Federzoni, contrarié, le lui remet.

ANDREA. Écoute la dédicace ! « À Galileo Galilei, la plus grande autorité vivante en matière de physique. »

Galilée s'est replongé dans son livre.

ANDREA. J'ai lu le traité du Hollandais Fabricius sur ce sujet. Il croit que ce sont des essaims d'étoiles qui passent entre la terre et le soleil.

LE PETIT MOINE. Cela n'est-il pas douteux, monsieur Galilée ? *Galilée ne répond pas.*

ANDREA. À Paris et à Prague, on croit que ce sont des vapeurs du soleil.

FEDERZONI. Hum.

ANDREA. Federzoni en doute.

FEDERZONI. Ayez la bonté de me laisser en dehors de tout ça. J'ai dit « hum », c'est tout. Je ne suis que le polisseur de lentilles, je polis les lentilles et vous, vous regardez à travers elles et vous observez le ciel et ce que vous voyez ne sont pas des taches mais des « *maculis* ». Comment pourrais-je douter de quoi que ce soit ? Combien de fois devrais-je vous dire que je ne peux pas lire les livres, ils sont en latin.

Dans sa colère, il gesticule avec la balance. Un des plateaux tombe à terre. Galilée s'en approche et, sans mot dire, le ramasse.

LE PETIT MOINE. Il y a de la béatitude dans le doute ; je me demande pourquoi.

ANDREA. Depuis deux semaines, chaque jour qu'il fait soleil, je monte au grenier sous le toit de bardeaux. À travers les minces fissures des bardeaux, il ne passe qu'un rayon très fin. De là, on peut capter l'image inversée du soleil sur une feuille de papier. J'ai vu une tache grande comme une mouche, floue comme un petit nuage. Elle se déplaçait. Pourquoi n'étudions-nous pas ces taches, monsieur Galilée ?

GALILÉE. Parce que nous travaillons sur les corps flottants.

ANDREA. Mère a des corbeilles à linge pleines de lettres. Toute l'Europe demande votre avis. Votre réputation a tant grandi que vous ne pouvez pas vous taire.

GALILÉE. Rome a laissé grandir ma réputation parce que je me suis tu.

FEDERZONI. Mais maintenant vous ne pouvez plus vous permettre votre silence.

GALILÉE. Je ne peux pas me permettre non plus qu'on me grille au-dessus d'un feu de bois comme un jambon.

90

ANDREA. Pensez-vous que les taches solaires aient un rapport avec ça ? *Galilée ne répond pas.*

ANDREA. Bon, tenons-nous-en aux petits morceaux de glace ; cela ne peut pas vous nuire.

GALILÉE. Exact. Notre thèse, Andrea !

ANDREA. Pour ce qui est de la flottabilité d'un corps, nous supposons que cela ne dépend pas de sa forme, mais de ce qu'il est plus léger ou plus lourd que l'eau.

GALILÉE. Que dit Aristote ?

LE PETIT MOINE. « *Discus latus platique...* »

GALILÉE. Traduction, traduction !

LE PETIT MOINE. « Un disque de glace large et plat est capable de flotter sur l'eau tandis qu'une aiguille de fer coule. »

GALILÉE. Pourquoi, selon Aristote, la glace ne coule-t-elle pas ?

LE PETIT MOINE. Parce qu'elle est large et plate et n'est, par conséquent, pas capable de fendre l'eau.

GALILÉE. Bien. *On lui tend un morceau de glace qu'il pose dans la bassine.* Maintenant je repousse de force la glace au fond du récipient. J'enlève la pression qu'exercent mes mains. Que se passe-t-il ?

LE PETIT MOINE. Elle remonte à la surface.

GALILÉE. Exact. Apparemment, elle est capable de fendre l'eau en remontant. Fulgenzio !

LE PETIT MOINE. Mais pourquoi flotte-t-elle, en définitive ? La glace est plus lourde que l'eau puisqu'elle est de l'eau concentrée.

GALILÉE. Eh quoi, si c'était de l'eau diluée ?

ANDREA. Elle doit être plus légère que l'eau, autrement elle ne flotterait pas.

GALILÉE. Ah !

ANDREA. Aussi peu que ne flotte une aiguille de fer. Tout ce qui est plus léger que l'eau flotte et tout

ce qui est plus lourd coule. Ce qu'il fallait démontrer.

GALILÉE. Andrea, il te faut apprendre à penser avec
prudence. Donne-moi l'aiguille de fer. Une feuille
de papier. Le fer est-il plus lourd que l'eau ?

ANDREA. Oui.

*Galilée pose l'aiguille sur un bout de papier et
dépose le tout sur l'eau. Un temps.*

GALILÉE. Que se passe-t-il ?

FEDERZONI. L'aiguille flotte ! Saint Aristote, ils ne
l'ont jamais vérifié ! *Ils rient.*

GALILÉE. Une des causes principales de la misère
dans les sciences est qu'elles se croient riches, le
plus souvent présomptueusement. Leur but n'est
pas d'ouvrir une porte à la sagesse infinie mais de
poser une limite à l'erreur infinie. Prenez vos notes.

VIRGINIA. Qu'y a-t-il ?

MADAME SARTI. Chaque fois qu'ils rient, cela
m'effraye toujours un peu. Je me demande : de
quoi rient-ils ?

VIRGINIA. Père dit que les théologiens ont leurs sons
de cloche, et les physiciens, leur rire.

MADAME SARTI. Mais je suis contente qu'au moins il
ne regarde plus aussi souvent à travers sa lunette.
C'était encore pire.

VIRGINIA. À présent, il ne fait que poser des morceaux
de glace sur l'eau, il ne peut pas en advenir beaucoup de mal.

MADAME SARTI. Je ne sais pas.

*Entre Ludovico Marsili, en habit de voyage, suivi
d'un serviteur qui porte des bagages. Virginia
court à lui et le prend dans ses bras.*

VIRGINIA. Pourquoi ne m'as-tu pas écrit que tu vien-
drais ?

LUDOVICO. J'étais juste dans les environs pour inspecter nos vignobles près de Bucciole, et je n'ai pas pu m'empêcher de venir.

GALILÉE, *comme s'il était myope*. Qui est-ce ?

VIRGINIA. Ludovico.

LE PETIT MOINE. Ne le voyez-vous pas ?

GALILÉE. Ah oui, Ludovico. *Il va à sa rencontre.* Que deviennent les chevaux ?

LUDOVICO. Ils se portent bien, monsieur.

GALILÉE. Sarti, nous allons faire la fête. Va chercher une cruche de ce vin sicilien, le vieux !
Madame Sarti sort avec Andrea.

LUDOVICO, *à Virginia*. Tu as l'air pâle. La vie à la campagne te fera du bien. La mère t'espère pour septembre.

VIRGINIA. Attends que je te montre ma robe de mariée !
Elle sort en courant.

GALILÉE. Assieds-toi.

LUDOVICO. J'ai entendu dire que vos cours à l'université attirent plus d'un millier d'étudiants, monsieur. À quoi travaillez-vous en ce moment ?

GALILÉE. À l'ordinaire quotidien. Tu es passé par Rome ?

LUDOVICO. Oui. Avant que je l'oublie, ma mère vous félicite de votre tact admirable face aux nouvelles orgies de taches solaires des Hollandais.

GALILÉE, *sèchement*. Grand merci.
Sarti et Andrea apportent les verres et le vin. Tous se regroupent autour de la table.

LUDOVICO. Rome a de nouveau, pour son mois de février, un sujet de conversation quotidien. Christopher Clavius a exprimé la crainte que tout le cirque de la terre autour du soleil ne recommence à cause de ces taches solaires.

ANDREA. Pas de souci à se faire.

GALILÉE. D'autres nouvelles de la Ville sainte, hors le fait d'espérer quelques nouveaux péchés de ma part ?

LUDOVICO. Naturellement vous savez que le Saint-Père est à l'agonie ?

LE PETIT MOINE. Oh !

GALILÉE. De qui parle-t-on pour lui succéder ?

LUDOVICO. Le plus souvent, de Barberini.

GALILÉE. Barberini.

ANDREA. Monsieur Galilée connaît Barberini.

LE PETIT MOINE. Le cardinal Barberini est mathématicien.

FEDERZONI. Un homme de science sur le Saint-Siège !

Un temps.

GALILÉE. Voilà qu'à présent, ils ont besoin d'hommes comme lui, qui ont lu un peu de mathématique ! Les choses commencent à bouger. Federzoni, nous allons peut-être finir par vivre un temps où nous n'aurons plus à regarder autour de nous comme des criminels pour dire que deux et deux font quatre.

À Ludovico. Ce vin me plaît, Ludovico. Qu'en dis-tu ?

LUDOVICO. Il est bon.

GALILÉE. Je connais le vignoble. Le coteau est abrupt et pierreux, le raisin presque bleu. J'aime ce vin.

LUDOVICO. Oui, monsieur.

GALILÉE. Il a en lui des zones d'ombres. Et il est presque sucré mais il se contente du « presque ». Andrea, range les affaires, glace, bassine, aiguille. J'apprécie les consolations de la chair. Je n'ai aucune patience envers les âmes lâches qui nomment cela faiblesse. Je dis : jouir est une prouesse.

LE PETIT MOINE. Qu'avez-vous l'intention de faire ?

FEDERZONI. Nous recommençons avec le cirque de la terre autour du soleil.

ANDREA, *fredonnant.*

L'Écriture dit qu'elle est immobile. Et les doctes le

94

prouvent : immobile, elle est, encore et toujours.

Le Saint-Père la retient par les oreilles.

Et pourtant elle tourne.

Andrea, Federzoni et le petit moine se précipitent vers la table d'expérimentation et la débarrassent.

ANDREA. Nous pourrions découvrir que le soleil tourne également. Est-ce que ça te plairait, Marsili ?

LUDOVICO. D'où vient cette excitation ?

MADAME SARTI. Vous ne voulez tout de même pas recommencer avec cet instrument diabolique, monsieur Galilée ?

GALILÉE. À présent, je sais pourquoi ta mère t'a envoyé chez moi. Barberini en hausse ! Le savoir peut devenir une passion, et la recherche, source de plaisir. Clavius a raison, ces taches solaires m'intéressent. Mon vin te plaît, Ludovico ?

LUDOVICO. Je vous l'ai dit, monsieur.

GALILÉE. Il te plaît vraiment ?

LUDOVICO, *avec raideur.* Il me plaît.

GALILÉE. Irais-tu jusqu'à accepter le vin ou la fille d'un homme, sans exiger qu'il mette au clou son métier ? Qu'est-ce que mon astronomie a à voir avec ma fille ? Les phases de Vénus ne modifient pas son cul.

MADAME SARTI. Ne soyez pas si vulgaire. Je vais immédiatement chercher Virginia.

LUDOVICO *la retient.* Les mariages dans les familles comme la mienne ne se concluent pas seulement d'après des critères d'ordre sexuel.

GALILÉE. Est-ce qu'on t'a empêché pendant huit ans d'épouser ma fille parce que j'avais à passer, moi, une épreuve probatoire ?

LUDOVICO. Ma femme devra faire bonne figure aussi sur le banc de l'église de notre village.

GALILÉE. Tu veux dire que tes paysans suspendront le

paiement de leurs fermages à la sainteté de la châte-
laine ?

LUDOVICO. D'une certaine manière, oui.

GALILÉE. Andrea, Fulgenzio, allez chercher le miroir de
cuivre et l'écran ! Nous allons projeter l'image du
soleil là-dessus, pour épargner nos yeux ; suivant ta
méthode, Andrea.

*Andrea et le petit moine vont chercher le miroir et
l'écran.*

LUDOVICO. À Rome, jadis, vous aviez promis par écrit,
monsieur, que vous ne vous mêleriez plus de cette
affaire de la terre autour du soleil.

GALILÉE. Ah çà ! Nous avions alors un pape rétrograde !

MADAME SARTI. Nous avions ! Et Sa Sainteté n'est pas
même encore morte !

GALILÉE. Peu s'en faut, peu s'en faut ! Quadrillez l'écran
d'un réticule. Nous allons procéder méthodiquement.
Et alors nous pourrons répondre à leurs lettres,
n'est-ce pas, Andrea ?

MADAME SARTI. « Peu s'en faut ! » Cinquante fois cet
homme-là pèse ses morceaux de glace, mais quand
arrive quelque chose qui l'arrange dans ses affaires,
il y croit aveuglément !

On pose l'écran.

LUDOVICO. Si Sa Sainteté devait mourir, monsieur
Galilée, le prochain pape, quel qu'il soit, et aussi
grand que soit son amour des sciences, devra tenir
compte de l'amour que lui porteront les plus nobles
familles du pays.

LE PETIT MOINE. Dieu créa le monde physique, Ludovico ; Dieu créa le cerveau humain ; Dieu permettra
la physique.

MADAME SARTI. Maintenant je vais te dire quelque
chose, Galileo. J'ai vu tomber mon fils dans le péché
pour ces « expériences », « théories » et « observa-

tions », et je n'ai rien pu faire. Tu t'es révolté contre les autorités, et elles t'ont déjà mis en garde une fois. Les plus hauts cardinaux t'ont abreuvé de paroles comme on le fait pour un cheval malade. Ça a aidé un certain temps, mais il y a deux mois, juste après la fête de l'Immaculée Conception, je t'ai surpris de nouveau à recommencer en secret avec ces « observations ». Au grenier ! Je n'ai pas trop protesté, mais je savais de quoi il retournait. J'ai couru à l'église offrir un cierge au saint Joseph. C'est au-dessus de mes forces. Quand je suis seule avec toi, tu te montres raisonnable et tu me dis que tu sais que tu dois te retenir parce que c'est dangereux, mais deux jours d'expérimentations suffisent et avec toi, c'est pis que jamais. Si je perds mon salut éternel parce que je suis aux côtés d'un hérétique, c'est mon affaire, mais toi, tu n'as aucun droit de piétiner le bonheur de ta fille avec tes grands pieds !

GALILÉE, *morose.* Apportez le télescope !

LUDOVICO. Giuseppe, rapporte les bagages dans la voiture.

Le serviteur sort.

MADAME SARTI. Elle n'y survivra pas. Vous le lui annoncerez vous-même !

Elle part en courant, la cruche encore à la main.

LUDOVICO. Je vois que vos préparatifs sont faits. Monsieur Galilée, ma mère et moi, nous vivons les trois quarts de l'année sur notre domaine en Campanie et nous pouvons témoigner devant vous que nos paysans ne s'inquiètent pas de vos traités sur les satellites de Jupiter. Leur travail de la terre est trop dur. Par contre, ils pourraient être troublés s'ils apprenaient que des attaques futiles contre les saintes doctrines de l'Église restent désormais impunies. N'oubliez pas complètement que ces malheureux, dans leur état d'abrutissement, confondent tout. Ce sont de véritables bêtes, vous pouvez difficilement vous l'imaginer. Au seul bruit qu'on a vu une poire sur un pommier, ils abandonnent le travail de la terre pour en causer.

GALILÉE, *intéressé.* Ah oui ?

LUDOVICO. Des bêtes. Quand ils viennent au domaine se plaindre pour une bagatelle, la mère se voit forcée de faire fouetter un chien sous leurs yeux, seul moyen de les rappeler à la discipline et à l'ordre et à la politesse. Vous, monsieur Galilée, au cours de vos voyages, vous voyez parfois de votre voiture des champs de maïs en fleur, vous mangez distraitement nos olives et notre fromage et vous n'imaginez pas quelle peine cela coûte de cultiver tout ça, et combien de surveillance !

GALILÉE. Jeune homme, je ne mange pas mes olives distraitement. *Grossier.* Tu me fais perdre mon temps. *Il appelle au-dehors.* Avez-vous l'écran ?

ANDREA. Oui. Vous venez ?

GALILÉE. Vous ne fouettez pas seulement les chiens pour les tenir disciplinés, n'est-ce pas, Marsili ?

LUDOVICO. Monsieur Galilée ! Vous avez un cerveau magnifique. Dommage.

LE PETIT MOINE, *étonné.* Il vous menace.

GALILÉE. Oui, je pourrais amener ses paysans à penser de nouvelles pensées. Et ses serviteurs et ses intendants.

FEDERZONI. Comment ? Aucun d'eux ne lit le latin.

GALILÉE. Je pourrais écrire dans la langue du peuple, pour la multitude, au lieu d'écrire en latin pour quelques-uns. Pour ces pensées nouvelles, nous avons besoin de gens qui travaillent de leurs mains. Qui d'autre désire apprendre quelles sont les causes des choses ? Ceux qui ne voient le pain que sur leur table ne veulent pas savoir comme on l'a préparé ; cette racaille préfère remercier Dieu que le boulanger. Mais ceux qui font le pain comprendront que rien ne bouge si on ne le fait pas bouger. Ta sœur, au pressoir, Fulgenzio, ne sera pas très étonnée, mais rira sans doute quand elle apprendra que le soleil n'est pas un blason doré mais un levier : la terre bouge parce que le soleil la fait bouger.

LUDOVICO. Vous serez pour toujours l'esclave de vos passions. Excusez-moi auprès de Virginia ; je pense qu'il est préférable que je ne la voie pas maintenant.

GALILÉE. La dot est à votre disposition, à tout moment.

LUDOVICO. Bonne journée. *Il sort.*

ANDREA. Et recommandez-nous à tous les Marsili !

FEDERZONI. Qui commandent à la terre de se tenir immobile pour que leurs châteaux ne dégringolent pas !

ANDREA. Et aux Cenzi et au Villani !

FEDERZONI. Aux Cervilli !

ANDREA. Aux Lecchi !

FEDERZONI. Aux Pirleoni !

ANDREA. Qui ne veulent baiser les pieds du pape qu'à la condition qu'il écrase le peuple avec !

LE PETIT MOINE, *lui aussi près des instruments.* Le nouveau pape sera un homme éclairé.

GALILÉE. Ainsi nous entrons dans l'observation de ces taches sur le soleil, lesquelles nous intéressent, à nos risques et périls, sans trop compter sur la protection d'un nouveau pape.

ANDREA, *l'interrompant.* Mais avec le ferme espoir de dissiper les ombres stellaires de monsieur Fabricius, les vapeurs solaires de Prague et de Paris, et de prouver la rotation du soleil.

GALILÉE. Et avec quelque espoir de prouver la rotation

du soleil. Mon intention n'est pas de démontrer que j'ai eu raison jusqu'alors mais de chercher à savoir si j'ai eu raison. Je vous le dis : laissez toute espérance vous qui entrez dans l'observation. Ce sont peut-être des vapeurs, peut-être ce sont des taches, mais avant d'opter pour les taches, ce qui nous arrangerait, nous préférons supposer que ce sont des queues de poisson. Oui, une fois encore, nous allons tout, tout remettre en question. Et nous n'allons pas avancer avec des bottes de sept lieues mais à la vitesse d'un escargot. Et ce que nous trouverons aujourd'hui, nous l'effacerons demain du tableau, pour ne le réinscrire que lorsque nous l'aurons trouvé encore une fois. Et ce que nous souhaitons trouver, une fois trouvé, nous allons le regarder avec une méfiance particulière. Ainsi, nous allons commencer l'observation du soleil avec l'intention inexorable de démontrer l'*immobilité* de la terre ! Et seulement quand nous aurons échoué, définitivement battus et sans espoir, léchant nos blessures, dans le plus triste état, alors nous commencerons à nous demander si nous n'avions pas tout de même eu raison, et si la terre ne tourne pas ! *Avec un clin d'œil.* Et s'il devait arriver que toute autre hypothèse nous fonde entre les doigts alors nous serions sans merci pour ceux qui n'ont pas cherché et qui pourtant parlent. Enlevez le drap de la lunette et dirigez-la sur le soleil !

Il règle le miroir de cuivre.

LE PETIT MOINE. Je savais que vous aviez déjà commencé le travail. Je l'ai su quand vous n'avez pas reconnu monsieur Marsili.

Ils commencent en silence l'observation. Au moment où apparaît le reflet flamboyant du soleil sur l'écran, entre en courant Virginia dans sa robe de mariée.

VIRGINIA. Tu l'as renvoyé, père ! *Elle s'évanouit.*
Andrea et le petit moine se précipitent à son aide.
GALILÉE. Je dois savoir.

10

DANS LA DÉCENNIE SUIVANTE, LA THÉORIE DE GALILÉE SE
RÉPAND PARMI LE PEUPLE. DES PAMPHLÉTAIRES ET DES
CHANTEURS DE BALLADE SE SAISISSENT PARTOUT DES NOU-
VELLES IDÉES. AU COURS DU CARNAVAL DE 1632, BEAU-
COUP DE VILLES ITALIENNES CHOISISSENT L'ASTRONOMIE
POUR THÈME DU CORTÈGE DES GUILDES.

*Un couple de forains, à moitié morts de faim, flanqués
d'une fille de cinq ans et d'un nourrisson, arrivent sur
la place du marché où une foule, en partie masquée,
attend le défilé de carnaval. Tous deux trimballent des
ballots, un tambour et d'autres ustensiles.*

LE CHANTEUR, *tambourinant.* Vénérés habitants, mesda-
mes et messieurs ! Avant que ne commence la grande
procession du carnaval des Guildes, voici la dernière
chanson de Florence, qu'on chante dans toute l'Italie
du Nord, et que nous avons importée ici à grands
frais. Elle s'intitule : La très effroyable Doctrine et
Opinion de l'illustre physicien Galileo Galilei ou :
Un avant-goût de l'avenir.
Il chante.
Quant le Tout-Puissant voulut qu'il en soit ainsi
Il dit au soleil de s'en aller faire
Le tour de la terre avec sa lumière
Tel un valet en un cercle accompli.

Car son désir était que chacun tourne
Autour de qui vaut mieux que lui.

Et commencèrent de tourner
Autour des puissants les déshérités
Autour des premiers les derniers
Ainsi sur la terre comme au ciel
Autour du pape gravitent les cardinaux
Autour des cardinaux gravitent les évêques
Autour des évêques les chanoines
Autour des chanoines les échevins
Autour des échevins les artisans
Autour des artisans les serviteurs
Autour des serviteurs les chiens, les poules et les
                                              [mendiants.

Cela, bonnes gens, c'est le grand ordre, *ordo ordi-
num*, comme disent messieurs les théologiens,
« *regula aeternis* », la règle des règles, mais bonnes
gens, qu'arriva-t-il ?
Il chante.
Le docteur Galilée se dressa
Il balança la Bible, saisit sa lunette, et jeta un regard
                                              [sur l'univers.
Toi, le soleil, reste là !
Je veux que la *creatio dei*
Tourne dans l'autre sens
Que la maîtresse tourne
Autour de sa servante.
Et vous trouvez ça fort ? Il ne plaisante pas !
Les serviteurs sont chaque jour plus effrontés
Mais il est vrai, rire est bien rare. Et la main sur le
                                              [cœur :
Qui n'a jamais rêvé d'être son propre maître et
                                              [seigneur ?

Vénérés habitants, de telles théories sont parfaitement impossibles.

Il chante.

On aurait droit à la paresse
À nourrir le chien du boucher
L'enfant de chœur n'irait plus à la messe
L'apprenti resterait couché.
On ne plaisante pas avec la Bible, non !
Si la corde à ton cou ne vaut rien, elle rompt !
Mais il est vrai, rire est bien rare. Et la main sur le
[cœur :
Qui n'a jamais rêvé d'être son propre maître et
[seigneur ?

Bonnes gens, voyez l'avenir que nous prédit le docte docteur Galileo Galilei.

Il chante.

Deux femmes se tiennent à la criée
Ne sachant pas quoi faire
Et la poissonnière de bouffer
Tout son poisson en solitaire !
Le maçon creuse les fondations
Et transporte les pierres
Mais ayant bâti la maison
Il s'en déclare propriétaire !
Oui, est-ce permis ? Non, non, non, pas de blagues !
Si la corde à ton cou ne vaut rien, elle rompt !
Mais il est vrai, rire est bien rare. Et la main sur le
[cœur :
Qui n'a jamais rêvé d'être son propre maître et
[seigneur ?

Le fermier donne un coup de pied
Au cul du proprio
Le lait destiné au curé
Est bon pour les marmots.

Non, non, non, bonnes gens ! Avec la Bible, pas de
[blagues !
Si la corde à ton cou ne vaut rien, elle rompt !
Mais il est vrai, rire est bien rare. Et la main sur le
[cœur :
Qui n'a jamais rêvé d'être son propre maître et
[seigneur ?

LA FEMME DU CHANTEUR.

Récemment j'ai voulu faire un écart
Alors j'ai dit à mon époux
Qu'il fallait bien que je compare
Ce Jupiter à son joujou.

LE CHANTEUR.

Non, non, non, non, non, non ! Assez, Galilée,
[assez !
Enlevez la muselière d'un chien enragé et il mordra.
Mais il est vrai, rire est bien rare, et devoir est
[devoir :
Qui n'a jamais rêvé d'être son propre maître et
[seigneur ?

LES DEUX.

Eh vous, qui avez tant souffert
Rassemblez vos faibles forces d'esprit
Et apprenez du docteur Galuli
L'ABCD du bonheur sur la terre.
L'échine de l'homme a toujours été souple !
Qui n'a jamais rêvé d'être son propre maître et
[seigneur ?

LE CHANTEUR. Vénérés habitants, voyez la phénoménale
découverte de Galileo Galilei : voici la terre, qui
tourne autour du soleil !

*Il travaille durement le tambour. La femme et l'enfant
s'avancent. La femme porte une figuration grossière
du soleil, et l'enfant, sur sa tête, une courge, figuration de la terre. Il tourne autour de la femme. Exalté,*

le chanteur désigne l'enfant, comme si celui-ci exé-
cutait un dangereux salto mortel, lorsqu'à certains
battements de tambour, il avance pas à pas de
manière saccadée. Puis on entend au lointain un
autre battement de tambour.

UNE VOIX BASSE *crie.* La procession !

Entrent deux hommes en guenilles, qui tirent un petit
chariot. Sur un trône ridicule est assis « le grand-duc
de Florence », une couronne en carton sur la tête,
habillé d'une toile de jute, et regardant à travers un
télescope. Au-dessus du trône, un panneau : « Cher-
che à avoir des ennuis. » Puis entrent, marchant au
pas, quatre hommes masqués, qui portent une grande
toile. Ils s'arrêtent et projettent en l'air une poupée,
qui représente un cardinal. Un nain se tient sur le
côté avec ce panneau : « L'ère nouvelle. » Dans la
foule, un mendiant se dresse sur ses béquilles, et
danse en frappant le sol jusqu'à tomber avec fracas.
Entre en scène un mannequin plus grand que nature,
figurant Galileo Galilei ; il s'incline face au public.
Devant lui, un enfant porte une immense Bible
ouverte, avec des pages biffées.

LE CHANTEUR. Galileo Galilei, le démolisseur de la
Bible !

Rires énormes de la foule.

11

1633. L'INQUISITION CONVOQUE À ROME LE CHERCHEUR
CONNU DANS LE MONDE ENTIER.

> Les bas-fonds sont chauds, les hauteurs sont froides
> La rue s'agite et la cour se tient roide.

Antichambre et escalier dans le palais des Médicis à Florence. Galilée et sa fille attendent d'être reçus par le grand-duc.

VIRGINIA. C'est long.

GALILÉE. Oui.

VIRGINIA. Voici de nouveau cet homme qui nous a suivis jusqu'ici. *Elle désigne un individu qui passe sans leur prêter attention.*

GALILÉE, *dont les yeux ont souffert.* Je ne le connais pas.

VIRGINIA. Mais moi je l'ai aperçu plusieurs fois ces derniers jours. Je le trouve inquiétant.

GALILÉE. Bêtises. Nous sommes à Florence et non parmi des brigands corses.

VIRGINIA. Voici le recteur Gaffone.

GALILÉE. Lui, je le crains. L'imbécile va encore m'entraîner dans une conversation interminable.
Monsieur Gaffone, recteur de l'université, descend l'escalier. Il s'effraie visiblement à la vue de Galilée et passe à côté d'eux, raide, détournant la tête convulsivement, saluant à peine.

GALILÉE. Qu'est-ce qui lui prend ? Mes yeux vont mal à nouveau aujourd'hui. A-t-il seulement salué ?

VIRGINIA. À peine. Qu'est-ce qu'il y a dans ton livre ? Est-il possible qu'on le trouve hérétique ?

GALILÉE. Tu traînes trop dans les églises. Se lever tôt

sans cesse pour courir à la messe achèvera de gâcher définitivement ton teint. Tu pries pour moi, n'est-ce pas ?

VIRGINIA. Voici monsieur Vanni, le fondeur pour qui tu as conçu l'installation de la fonderie. N'oublie pas de le remercier pour les cailles.

L'homme a descendu l'escalier.

VANNI. Étaient-elles bonnes, ces cailles que je vous ai envoyées, monsieur Galilée ?

GALILÉE. Les cailles étaient excellentes, maître Vanni, encore une fois grand merci.

VANNI. On parlait de vous là-haut. On vous rend responsable des pamphlets contre la Bible qui, ces derniers temps, se vendent partout.

GALILÉE. J'ignore ces pamphlets. La Bible et Homère sont mes lectures préférées.

VANNI. Et même s'il en était autrement : je veux profiter de l'occasion pour vous assurer que nous autres, de la manufacture, sommes de votre côté. Je ne suis pas quelqu'un qui connaît grand-chose aux mouvements des étoiles mais pour moi, vous êtes l'homme qui lutte pour la liberté d'enseigner des choses nouvelles. Prenez ce cultivateur mécanique allemand que vous m'avez décrit. Rien que l'année dernière, cinq volumes sur l'agriculture ont paru à Londres. Ici nous serions déjà reconnaissants d'avoir un livre sur les canaux hollandais. Les mêmes gens qui vous font des difficultés ne permettent pas aux médecins de Bologne de disséquer des cadavres à des fins scientifiques.

GALILÉE. Votre voix porte, Vanni.

VANNI. Je l'espère. Savez-vous qu'à Amsterdam et à Londres ils ont des marchés financiers ? Et également des écoles d'arts et métiers. Des journaux, avec des nouvelles, qui paraissent régulièrement. Ici nous n'avons même pas la liberté de faire de l'argent. On est contre les fonderies parce qu'on est d'avis que trop d'ouvriers en un seul lieu, cela favorise l'immoralité ! Je suis à la merci d'hommes comme vous, monsieur Galilée. Si jamais on devait entreprendre quelque chose contre vous, alors souvenez-vous s'il vous plaît que vous avez des amis dans toutes les branches du négoce. Vous avez derrière vous les villes de l'Italie du Nord, monsieur Galilée.

GALILÉE. Autant que je sache, personne n'a l'intention d'entreprendre quelque chose contre moi.

VANNI. Non ?

GALILÉE. Non.

VANNI. À mon avis, vous seriez plus à l'abri à Venise. Moins de robes noires. De là-bas vous pourriez engager le combat. J'ai une voiture et des chevaux, monsieur Galilée.

GALILÉE. Je ne suis pas fait pour l'exil. J'apprécie le confort.

VANNI. Certes. Mais d'après ce que j'ai entendu dire là-haut, il faut agir vite. J'ai l'impression qu'en ce moment, précisément, on aimerait mieux ne pas vous savoir à Florence.

GALILÉE. Bêtises. Le grand-duc est mon élève, et en outre le pape lui-même opposerait à toute tentative de me perdre, quelle qu'elle soit, un non catégorique.

VANNI. Vous semblez ne pas distinguer vos amis de vos ennemis, monsieur Galilée.

GALILÉE. Je distingue la puissance de l'impuissance. *Il s'éloigne brusquement.*

VANNI. Bon. Je vous souhaite bonne chance. *Il sort.*

GALILÉE, *de retour auprès de Virginia.* N'importe qui ayant n'importe quel grief me choisit pour être son porte-parole, de préférence en des lieux où cela ne m'est pas vraiment utile. J'ai écrit un livre sur la mécanique de l'univers, c'est tout. Ce qu'il en est fait ou ce qu'il n'en est pas fait ne me regarde pas.

VIRGINIA, *à voix haute.* Si les gens savaient comme tu as condamné ce qui s'est passé partout au dernier carnaval !

GALILÉE. Oui. Donne du miel à un ours et tu y perdras ton bras quand l'animal aura faim !

VIRGINIA, *à voix basse.* Le grand-duc t'a bien donné rendez-vous aujourd'hui ?

GALILÉE. Non, mais je me suis fait annoncer. Il veut avoir le livre, il l'a payé déjà. Interroge le fonctionnaire et plains-toi qu'on nous fait attendre ici.

VIRGINIA, *suivie par l'individu, s'approche d'un fonctionnaire. À son adresse.* Monsieur Mincio, Son Altesse est-elle prévenue que mon père désire lui parler ?

LE FONCTIONNAIRE. Comment le saurais-je ?

VIRGINIA. Ce n'est pas une réponse.

LE FONCTIONNAIRE. Non ?

VIRGINIA. Vous vous devez d'être poli.

Le fonctionnaire lui tourne à moitié le dos et bâille, en regardant l'individu.

VIRGINIA, *de retour.* Il dit que le grand-duc est encore occupé.

GALILÉE. Je t'ai entendu dire le mot « poli ». Qu'est-ce que c'était ?

VIRGINIA. Je le remerciais de son information polie, rien d'autre. Ne peux-tu pas lui laisser ton livre ici ? Tu ne fais que perdre ton temps.

GALILÉE. Je commence à me demander ce que vaut ce temps. Peut-être que j'accepterai finalement l'invitation de Sagredo à me rendre à Padoue pour quelques semaines. Ma santé n'est pas des meilleures.

VIRGINIA. Tu ne pourras pas vivre sans tes livres.

GALILÉE. On pourrait emporter dans la voiture une ou deux caisses de ce vin sicilien.

VIRGINIA. Tu as toujours dit qu'il ne supportait pas le transport. Et la cour te doit encore trois mois de salaire. On ne te l'enverra pas.

GALILÉE. C'est vrai.

Le cardinal inquisiteur descend l'escalier.

VIRGINIA. Le cardinal inquisiteur.

En passant, il s'incline profondément devant Galilée.

VIRGINIA. Que fait le cardinal inquisiteur à Florence, père ?

GALILÉE. Je ne sais pas. Il ne m'a pas manqué de respect. Je savais ce que je faisais quand je suis venu à Florence et que je me suis tu toutes ces années. Ils m'ont tant loué qu'à présent ils doivent me prendre comme je suis.

LE FONCTIONNAIRE *annonce.* Son Altesse, le grand-duc ! *Cosme de Médicis descend l'escalier. Galilée vient à lui. Cosme s'arrête un peu gêné.*

GALILÉE. Je voulais que mes dialogues sur les deux plus grands systèmes du monde soient à Votre Altesse...

COSME. Ah ! Ah ! Comment vont vos yeux ?

GALILÉE. Pas au mieux, Votre Altesse. Si Votre Altesse le permet, j'ai le livre...

COSME. L'état de vos yeux m'inquiète. Il m'inquiète vraiment. Il me fait voir que vous utilisez peut-être avec un peu trop de zèle votre excellente lunette, non ?

Il continue son chemin sans prendre le livre.

GALILÉE. Il n'a pas pris le livre, n'est-ce pas ?

VIRGINIA. Père, j'ai peur.

GALILÉE, *d'une voix assourdie et ferme.* Ne montre pas tes sentiments. D'ici, nous n'allons pas à la maison mais chez le tailleur de verre Volpi. Je suis convenu avec lui que dans la cour voisine de la taverne, il y ait toujours prête une carriole, avec des tonneaux à vin vides, laquelle pourra me faire sortir de la ville.

VIRGINIA. Tu savais...

GALILÉE. Ne te retourne pas.

Ils veulent s'en aller.

UN HAUT FONCTIONNAIRE *descend l'escalier.* Monsieur Galilée, j'ai mission de vous informer que la cour de Florence n'est plus en mesure d'opposer la moindre résistance au désir de la sainte Inquisition qui est de vous interroger à Rome. La voiture de la sainte Inquisition vous attend, monsieur Galilée.

12

LE PAPE

Une salle du Vatican. Le pape Urbain VIII – ancienne-ment cardinal Barberini – reçoit le cardinal inquisiteur. Durant l'audience, on l'habille. Au-dehors, bruissement de pas tumultueux.

LE PAPE, *d'une voix très forte.* Non ! Non ! Non !

L'INQUISITEUR. Ainsi, à ses docteurs de toutes les facul-tés qui se rassemblent en ce moment, représentants de tous les ordres saints et du clergé tout entier, qui, avec leur foi d'enfant en la parole de Dieu déposée dans l'Écriture, sont venus tous entendre la confirma-tion de leur foi, Votre Sainteté veut-elle annoncer que l'Écriture ne saurait plus longtemps être tenue pour vraie ?

LE PAPE. Je ne laisserai pas briser les tables de l'arith-métique. Non !

L'INQUISITEUR. Qu'il s'agit des tables de l'arithmétique et non de l'esprit de révolte et de doute, c'est ce que disent ces gens. Cependant il ne s'agit pas des tables de l'arithmétique. Mais d'une épouvantable inquiétude qui est venue au monde. L'inquiétude de leur propre cerveau qu'ils transmettent à la terre immobile. Ils s'écrient : les chiffres nous y forcent ! Mais d'où viennent-ils, ces chiffres ? Tout le monde sait qu'ils viennent du doute. Ces gens doutent de tout. Devons-nous fonder la société humaine sur le doute et non plus sur la foi ? « Tu es mon seigneur, mais je doute que cela soit bon. » « Ceci est ta maison et ta femme, mais je doute : ne doivent-elles pas être miennes ? » Par ailleurs l'amour de l'art de Votre Sainteté à qui nous devons de si belles collections, trouve des interprétations injurieuses comme celles qu'on peut lire sur les murs des maisons à Rome : « Ce que les barbares ont laissé à Rome, les Barberini le lui volent. » Quant à l'étranger ? Il a plu à Dieu de soumettre le Saint-Siège à des épreuves difficiles. La politique espagnole de Votre Sainteté n'est pas comprise par ceux qui manquent de discernement, le différend avec l'Empereur est déploré. Depuis quinze ans, l'Allemagne est un étal de boucher où l'on s'entredéchire avec des citations bibliques au bout des lèvres. Et maintenant que la peste, la guerre et la Réforme réduisent la Chrétienté à des îlots épars, le bruit court en Europe que vous êtes en alliance secrète avec la Suède luthérienne pour affaiblir l'Empereur catholique. Et voilà que ces vermisseaux de mathématiciens braquent leurs lunettes vers le ciel et informent le monde que Votre Sainteté, même là, dans le seul domaine qu'on ne vous disputait pas encore, est bien ignorante. On pourrait se demander : quel intérêt soudain pour une science aussi lointaine que l'astronomie ! N'est-il pas indifférent de savoir comment tournent ces boules ? Toute l'Italie, jusqu'au dernier des palefreniers, par le méchant exemple de ce Florentin, discute des phases de Vénus, et tous de songer du même coup à toutes ces choses qu'on déclare inébranlables dans les écoles et en d'autres endroits, et qui sont tellement contraignantes. Qu'adviendrait-il si tous ceux-là, faibles dans leur chair et prompts à tous les excès, ne croyaient plus qu'en leur propre raison que cet insensé déclare être la seule instance ! Ayant commencé par douter que le soleil s'est arrêté sur Gabâon, ils pourraient étendre leur sale doute aux collectes ! Depuis qu'ils traversent la mer – je n'ai rien contre – ils placent leur confiance non plus en Dieu mais en une boule de cuivre qu'ils appellent le compas. Ce Galilée avait déjà, étant jeune, écrit sur les machines. Ils veulent faire des miracles avec les machines. Lesquels ? De Dieu, en tout cas, ils n'ont plus besoin, alors de quels miracles s'agit-il ? Il n'y aura, par exemple, plus de haut ni de bas. Ils n'en ont plus besoin. Aristote, qui d'habitude est pour eux un chien mort, a dit – et cela ils le citent – : « Si la navette tissait d'elle-même, et si la cithare jouait d'elle-même, alors les maîtres évidemment n'auraient plus besoin de compagnons ni les seigneurs de valets. » Et maintenant ils en sont là, croient-ils. Ce mauvais sujet sait ce qu'il fait quand il rédige ses travaux astronomiques non pas en latin, mais dans l'idiome des poissonnières et des marchands de laine.

LE PAPE. Cela est d'un très mauvais goût ; je le lui dirai.

L'INQUISITEUR. Il excite les uns et corrompt les autres. Les villes maritimes de l'Italie du Nord demandent pour leurs navires, avec de plus en plus d'empressement, les cartes du ciel de monsieur Galilée. Il va falloir leur céder, il y a là des intérêts matériels.

LE PAPE. Mais ces cartes du ciel reposent sur ses affirmations hérétiques. Elles se fondent précisément sur les mouvements de ces astres, qui ne peuvent avoir lieu si on nie sa théorie. On ne peut pas à la fois condamner la théorie et prendre les cartes du ciel.

L'INQUISITEUR. Pourquoi pas ? On ne peut pas faire autrement.

LE PAPE. Ce tumulte de pas me rend nerveux. Excusez-moi si je tends toujours l'oreille.

L'INQUISITEUR. Il vous en dira peut-être plus que je ne le puis, moi, Votre Sainteté. Tous ces gens devront-ils repartir d'ici le doute au cœur ?

LE PAPE. Cet homme tout de même est le plus grand physicien de ce temps, la lumière de l'Italie, et non n'importe quel esprit confus. Il a des amis. Il y a Versailles. Il y a la cour de Vienne. Ils vont appeler la sainte Église une fosse à purin de préjugés pourris. N'y touchez pas !

L'INQUISITEUR. Pratiquement, il n'y aurait pas besoin de pousser les choses loin avec lui. C'est un homme de la chair. Il capitulerait tout de suite.

LE PAPE. Il sait jouir de tout, plus qu'aucun homme que j'ai rencontré. Il pense par tous les sens. Il ne sait pas dire non à un vieux vin ou à une pensée neuve. Et puis je ne veux pas de condamnation des preuves matérielles qu'il avance, pas de cris de guerre comme « Ici l'Église ! » et « Ici la Raison ! ». J'ai autorisé son livre s'il reflétait à la fin l'opinion que le dernier mot n'appartient pas à la science, mais à la foi. Il s'y est tenu.

L'INQUISITEUR. Mais de quelle manière ? Dans son livre disputent un homme stupide qui naturellement défend les idées d'Aristote et un homme intelligent

114

qui tout aussi naturellement défend celles de monsieur Galilée, et cette ultime opinion, Votre Sainteté, qui la profère ?

LE PAPE. Qu'est-ce encore ? Qui soutient donc la nôtre ?

L'INQUISITEUR. Pas l'homme intelligent.

LE PAPE. C'est une impertinence évidemment. Ce bruit de pas dans les corridors est insupportable. Est-ce donc le monde entier qui vient ?

L'INQUISITEUR. Non pas le monde entier, mais sa meilleure partie.

Un temps. Le pape est à présent entièrement revêtu de ses habits sacerdotaux.

LE PAPE. En toute dernière extrémité, qu'on lui montre les instruments.

L'INQUISITEUR. Cela suffira, Votre Sainteté. Monsieur Galilée s'y connaît en matière d'instruments.

13

GALILEO GALILEI RÉTRACTE DEVANT L'INQUISITION, LE 22 JUIN 1633, SA THÉORIE DU MOUVEMENT DE LA TERRE.

> C'était un jour de juin qui passa promptement
> Et pour toi et pour moi il était important.
> La raison sortit de l'obscurité
> Et se tint sur le seuil un jour entier.

Dans le palais de l'ambassadeur florentin à Rome. Les disciples de Galilée attendent des nouvelles. Le petit moine et Federzoni jouent aux échecs selon les nouvelles règles, avec de larges mouvements. Dans un coin, agenouillée, Virginia qui dit l'Ave Maria.

LE PETIT MOINE. Le pape ne l'a pas reçu. Finies les discussions scientifiques.

FEDERZONI. Il était son dernier espoir. Il le lui avait bien dit, à Rome, il y a des années de cela, quand il était encore le cardinal Barberini : nous tenons à toi. Maintenant ils le tiennent.

ANDREA. Ils vont le tuer. Les *Discorsi* ne seront pas achevés.

FEDERZONI *le regarde à la dérobée.* Tu le crois ?

ANDREA. Car il ne se rétractera jamais.

Un temps.

LE PETIT MOINE. La nuit, quand on ne peut pas dormir, on s'acharne toujours sur une pensée parfaitement secondaire. Cette nuit, par exemple, je pensais sans cesse : il n'aurait jamais dû quitter la République de Venise.

ANDREA. Là-bas, il ne pouvait pas écrire son livre.

FEDERZONI. Et à Florence, il ne pouvait pas le publier.

Un temps.

LE PETIT MOINE. Je me demandais également s'ils allaient lui laisser sa petite pierre qu'il porte toujours avec lui dans sa poche. Sa pierre-preuve.

FEDERZONI. Là où ils vont le mener, on y va sans ses poches.

ANDREA, *s'écriant.* Ils n'oseront pas ! Et même s'ils lui font ça, il ne se rétractera pas. « Qui ne connaît la vérité n'est qu'un imbécile, mais qui, la connaissant, la nomme mensonge, celui-là est un criminel. »

FEDERZONI. Je ne le crois pas non plus et je ne voudrais plus vivre s'il le faisait, mais ils ont la force pour eux.

ANDREA. On n'obtient pas tout par la force.

FEDERZONI. Peut-être.

LE PETIT MOINE, *à voix basse.* Il est depuis vingt-trois jours en prison. Hier avait lieu le grand interrogatoire. Et aujourd'hui c'est l'audience. *Comme Andrea écoute, il élève la voix.* Quand je lui ai rendu visite ici, c'était deux jours après le décret, nous étions assis là-bas, et il m'a montré le petit dieu Priape, près du cadran solaire, dans le jardin, vous pouvez le voir d'ici, et il a comparé son œuvre à un poème d'Horace auquel on ne peut rien changer non plus. Il a parlé de son sens de la beauté qui le forçait à chercher la vérité. Et il a mentionné la devise : « *Hieme et aestate, et prope et procul, usque dum vivam et ultra.* » Et c'est de la vérité qu'il parlait.

ANDREA, *au petit moine.* Lui as-tu raconté comment il se tenait au Collegium Romanum pendant qu'ils examinaient sa lunette ? Raconte ! *Le petit moine secoue la tête.* Il se comportait tout à fait comme à son habitude. Il avait ses mains sur ses rondeurs, poussait le ventre en avant ; il a dit : je vous prie d'être raisonnables, messieurs !

Il imite, en riant, Galilée.

Un temps.

ANDREA, *en parlant de Virginia.* Elle prie pour qu'il abjure.

FEDERZONI. Laisse-la. Elle est toute troublée depuis qu'ils lui ont parlé. Ils ont fait venir ici son confesseur de Florence.

L'individu aperçu au palais du grand-duc de Florence entre.

L'INDIVIDU. Monsieur Galilée sera bientôt là. Il aura sans doute besoin d'un lit.

FEDERZONI. On l'a libéré ?

L'INDIVIDU. On attend la rétractation de monsieur Galilée pour cinq heures, au cours de l'audience de l'Inquisition. On sonnera la grande cloche de Saint-Marc et on proclamera publiquement les termes de sa rétractation.

ANDREA. Je ne le crois pas.

L'INDIVIDU. En raison des attroupements dans les ruelles attenantes, on amènera monsieur Galilée à la porte du jardin, ici derrière le palais. *Il sort.*

ANDREA, *à voix haute soudainement.* La lune est une terre et n'a pas de lumière propre. Et de même Vénus n'a pas de lumière propre, elle est comme la terre et tourne autour du soleil. Et quatre lunes tournent autour de l'astre Jupiter qui se trouve dans la région des étoiles fixes où il n'est rattaché à aucune sphère. Et le soleil est le centre du monde, immobile à sa place, et la terre n'est pas le centre et n'est pas immobile. Et c'est lui qui nous l'a montré.

LE PETIT MOINE. Ce qu'on a vu, la force ne peut pas faire qu'on ne l'ait pas vu.

Un silence.

FEDERZONI *regarde le cadran solaire dans le jardin.* Cinq heures.

Virginia prie plus fort.

ANDREA. Je ne peux plus attendre, vous tous ! Ils déca-
pitent la vérité !

*Il se bouche les oreilles, le petit moine aussi. Mais la
cloche ne sonne pas. Après un temps rempli par le
murmure de la prière de Virginia, Federzoni secoue
la tête, en signe de négation. Les autres abaissent
leurs mains.*

FEDERZONI, *d'une voix rauque.* Rien. Cinq heures sont
passées de trois minutes.

ANDREA. Il résiste.

LE PETIT MOINE. Il ne se rétracte pas !

FEDERZONI. Non. Oh, heureux que nous sommes !

*Ils tombent dans les bras l'un de l'autre. Ils sont ivres
de joie.*

ANDREA. Donc, la force ne suffit pas ! Elle ne peut pas
tout ! Donc, la bêtise est vaincue, elle n'est pas invul-
nérable ! Donc l'homme ne craint pas la mort !

FEDERZONI. Maintenant commence véritablement le
temps du savoir. Ceci est son heure de naissance.
Imaginez, s'il s'était rétracté !

LE PETIT MOINE. Je ne le disais pas, mais j'étais plein de
crainte. Homme de peu de foi !

ANDREA. Moi, cependant je le savais.

FEDERZONI. Comme si le matin la nuit retombait.

ANDREA. Comme si la montagne avait dit : je suis de
l'eau.

LE PETIT MOINE *s'agenouille, en pleurs.* Seigneur, je te
remercie !

ANDREA. Mais aujourd'hui tout est changé ! L'homme,
cet être supplicié, relève la tête et dit : je peux vivre.
Tout cela est gagné quand un seul se lève et dit
NON !

*À cet instant la cloche de Saint-Marc commence à
retentir. Tous sont pétrifiés.*

VIRGINIA *se lève.* La cloche de Saint-Marc ! Il n'est pas damné !

On entend dans la rue le crieur public lire la rétractation de Galilée.

VOIX DU CRIEUR PUBLIC. « Moi, Galileo Galilei, professeur de mathématique et de physique à Florence, j'abjure ce que j'ai professé, à savoir que le soleil est le centre du monde, immobile en son lieu, et que la terre n'est pas le centre et n'est pas immobile. J'abjure, exècre et maudis d'un cœur sincère et d'une foi non feinte toutes ces erreurs et hérésies, comme d'une manière générale toute autre erreur et toute autre opinion opposées à la sainte Église. »

L'obscurité se fait.

Quand la lumière revient, la cloche résonne encore, puis cesse. Virginia est sortie. Les disciples de Galilée sont encore là.

FEDERZONI. Il ne t'a jamais vraiment payé pour ton travail. Tu n'as pu ni acheter un pantalon ni publier toi-même. Et cela, tu l'as souffert parce que : « On travaillait pour la science ! »

ANDREA, *à voix haute.* Malheureux le pays qui n'a pas de héros !

Galilée est entré, totalement changé, rendu presque méconnaissable par le procès. Il a entendu la phrase d'Andrea. Pendant quelques instants, il se tient sur le seuil dans l'attente d'un accueil. Comme rien ne vient, car les disciples reculent devant lui, il s'avance, lentement et d'un pas incertain à cause de sa mauvaise vue, vers le devant du théâtre où il trouve un tabouret ; il s'assied.

ANDREA. Je ne peux pas le regarder. Qu'il parte.

FEDERZONI. Calme-toi.

ANDREA, *hurlant à l'adresse de Galilée.* Sac à vin ! Bouffeur d'escargots ! Tu l'as sauvée, ta peau bien-aimée ? *Il s'assied.* Je me sens mal.

GALILÉE, *calmement.* Donnez-lui un verre d'eau !

Le petit moine va chercher un verre d'eau pour Andrea. Les autres ne se préoccupent pas de Galilée qui est assis sur son tabouret et qui tend l'oreille. On entend de nouveau au loin la voix du crieur public.

ANDREA. Je vais pouvoir de nouveau marcher si vous m'aidez un peu. *Ils le conduisent jusqu'à la porte. À cet instant-là, Galilée commence à parler.*

GALILÉE. Non. Malheureux le pays qui a besoin de héros.

Lecture devant le rideau

N'est-il pas clair qu'un cheval qui tombe d'une hauteur de trois ou quatre aunes peut se briser les jambes tandis qu'un chien ne subirait pas de dommages, pas plus qu'un chat, même d'une hauteur de huit ou dix aunes, voire un grillon du haut d'une tour ou une fourmi si elle tombait de la lune ? Et de même que les animaux petits sont relativement plus robustes et plus forts que les grands, de même les plantes petites se tiennent mieux ; un chêne haut de deux cents aunes ne pourrait pas avoir toutes ses branches proportionnées à celles d'un petit chêne, et la nature ne peut pas faire qu'un cheval grand comme vingt chevaux existe, ni un géant d'une taille dix fois supérieure à la nôtre, sauf à transformer les proportions de tous les membres, particulièrement des os, qui doivent être renforcés bien au-delà de la mesure d'une taille proportionnelle. L'opinion commune selon laquelle les machines, grandes et petites, sont également persévérantes, est apparemment une erreur.

Galilei, *Discorsi.*

14

1633-1642. Galileo Galilei vit dans une maison de campagne près de Florence, prisonnier de l'Inquisition jusqu'à sa mort. Les *Discorsi.*

De mille six cent trente-trois
À mille six cent quarante-deux
Galileo Galilei est prisonnier de l'Église jusqu'à sa mort.

Une grande pièce avec une table, un siège en cuir et un globe terrestre. Galilée, désormais vieux et à moitié aveugle, se livre à une expérimentation minutieuse à l'aide d'une petite boule en bois et d'une gouttière de bois incurvée ; dans l'antichambre, un moine assis est de garde. On frappe à la porte. Le moine ouvre, et un paysan entre portant deux oies plumées. Virginia sort de la cuisine. Elle est maintenant âgée d'environ quarante ans.

Le paysan. On m'a dit de vous les remettre.
Virginia. De la part de qui ? Je n'ai pas commandé d'oies.
Le paysan. On m'a dit de vous dire : de la part de quelqu'un de passage. *Il sort.*
Virginia contemple les oies avec étonnement. Le moine les lui prend des mains et les examine avec méfiance. Puis, rassuré, il les lui rend, et elle les porte, en les tenant par le cou, à Galilée dans la grande pièce.
Virginia. Quelqu'un de passage a fait remettre ce présent.
Galilée. Qu'est-ce que c'est ?
Virginia. Ne le vois-tu pas ?
Galilée. Non. *Il s'approche.* Des oies. Y a-t-il un nom avec ?

Virginia. Non.

Galilée *lui prend une oie des mains*. Lourde. Je pourrais bien encore manger quelque chose.

Virginia. Tu ne peux tout de même pas avoir faim de nouveau, tu viens de dîner. Et qu'est-ce qu'ils ont encore, tes yeux ? Tu aurais dû les voir de la table.

Galilée. Tu te tiens dans l'ombre.

Virginia. Je ne me tiens pas dans l'ombre.
Elle emporte les oies.

Galilée. Mets-y du thym et des pommes.

Virginia, *au moine*. Il faut faire venir le médecin des yeux. Père, de sa table, n'a pas pu voir les oies.

Le moine. J'ai besoin d'abord de l'autorisation de monsignore Carpula. A-t-il recommencé d'écrire lui-même ?

Virginia. Non. C'est à moi qu'il a dicté son livre, vous le savez bien. Vous avez les pages 131 et 132, et c'était les dernières.

Le moine. C'est un vieux renard.

Virginia. Il ne fait rien de contraire aux prescriptions. Son repentir est sincère. Je le surveille. *Elle lui donne les oies.* Dites à la cuisine qu'ils fassent griller le foie avec une pomme et un oignon. *Elle revient dans la grande pièce.* Et maintenant nous pensons à nos yeux et nous laissons là cette boule et nous dictons encore un petit bout de notre lettre hebdomadaire à l'archevêque.

Galilée. Je ne me sens pas assez bien. Lis-moi un peu d'Horace.

Virginia. Pas plus tard que la semaine dernière, monsignore Carpula à qui nous devons tant – encore récemment les légumes – me disait que l'archevêque lui demande, à chaque fois, comment tu trouves ses questions et citations qu'il t'envoie. *Elle s'assied, prête à prendre sous la dictée.*

GALILÉE. Où en étais-je ?

VIRGINIA. Paragraphe quatre : Quant à la position de la sainte Église sur les troubles de l'arsenal de Venise, je suis en parfait accord avec l'attitude du cardinal Spoletti envers les cordiers révoltés...

GALILÉE. Oui. *Il dicte.* ... Je suis en parfait accord avec l'attitude du cardinal Spoletti envers les cordiers révoltés, à savoir qu'il vaut mieux leur distribuer de la soupe au nom du principe chrétien de l'amour du prochain, que de les payer davantage pour leurs cordes de bateaux et de cloches. Attendu qu'il semble plus sage de fortifier leur foi plutôt que leur cupidité. L'apôtre Paul dit : « Charité n'échoue jamais. » Comment est-ce ?

VIRGINIA. C'est magnifique, père.

GALILÉE. Tu ne penses pas qu'on puisse y lire de l'ironie ?

VIRGINIA. Non, l'archevêque sera ravi. C'est un homme pratique.

GALILÉE. Je fais confiance à ton jugement. Quoi d'autre ensuite ?

VIRGINIA. Un aphorisme magnifique : « Quand je suis faible, c'est là que je suis fort. »

GALILÉE. Sans commentaire.

VIRGINIA. Mais pourquoi pas ?

GALILÉE. Quoi d'autre ensuite ?

VIRGINIA. « Pour que vous compreniez qu'aimer le Christ surpasse toute connaissance. » Paul aux Éphésiens III, 19.

GALILÉE. Je remercie particulièrement Votre Éminence pour la citation magnifique tirée de l'Épître aux Éphésiens. Stimulé de la sorte, j'ai encore trouvé ce qui suit dans notre inimitable *Imitatio – il cite de mémoire* : « Celui à qui parle la parole éternelle est libéré d'un grand nombre de questions. » Puis-je évoquer à cette occasion mon propre cas ? On me reproche toujours d'avoir un jour rédigé un livre sur les corps célestes dans la langue des marchés. Il n'était pas alors dans mon intention de proposer ou d'approuver que soient rédigés des livres sur des sujets autrement plus importants, comme par exemple la théologie, dans le jargon des vendeurs de pâtes. Mais l'argument en faveur de l'office en latin, qui consiste à dire que, par l'universalité de cette langue, tous les peuples entendent la sainte messe de la même façon, me semble peu heureux, car les railleurs, jamais à court, pourraient objecter qu'ainsi aucun des peuples ne comprend le texte. Je renonce volontiers à une intelligibilité facile des choses saintes. Le latin de la chaire qui protège l'éternelle vérité de l'Église contre la curiosité des ignorants, éveille la confiance quand il est parlé avec les inflexions du dialecte local par les prêtres issus des classes inférieures. Non, biffe cela.

VIRGINIA. Le tout ?

GALILÉE. Tout, après les vendeurs de pâtes.

On frappe à la porte. Virginia va dans le vestibule. Le moine ouvre. Entre Andrea Sarti. C'est maintenant un homme d'âge moyen.

ANDREA. Bonsoir. Je suis sur le point de quitter l'Italie pour la Hollande où je vais me consacrer à la science, et on m'a prié d'aller le voir, au passage, pour que je puisse faire un rapport sur lui.

VIRGINIA. Je ne sais pas s'il veut te voir. Tu n'es jamais venu.

ANDREA. Demande-le-lui.

Galilée a reconnu la voix. Il est assis, immobile. Virginia revient vers lui.

GALILÉE. C'est Andrea ?

VIRGINIA. Oui. Veux-tu que je le renvoie ?

GALILÉE, *après un temps.* Fais-le entrer.
Virginia introduit Andrea.

VIRGINIA, *au moine.* Il est inoffensif. Il était son élève.
Il est donc maintenant son ennemi.

GALILÉE. Laisse-moi seul avec lui, Virginia.

VIRGINIA. Je veux écouter ce qu'il raconte. *Elle s'assied.*

ANDREA, *avec froideur.* Comment allez-vous ?

GALILÉE. Approche-toi. Que fais-tu ? Parle-moi de ton
travail. J'ai entendu dire qu'il porte sur l'hydrauli-
que.

ANDREA. Fabricius d'Amsterdam m'a chargé de
m'enquérir de votre santé.
Un temps.

GALILÉE. Je suis en bonne santé. On me consacre beaucoup d'attention.

ANDREA. Je suis content de pouvoir rapporter que vous
êtes en bonne santé.

GALILÉE. Fabricius sera content de l'entendre. Et tu
peux l'informer que je vis dans un confort approprié.
Par l'ampleur de mon repentir, j'ai pu conserver la
bienveillance de mes supérieurs tant et si bien qu'on
m'a permis, dans une modeste mesure, des études
scientifiques sous contrôle clérical.

ANDREA. Oui. Nous aussi, nous avons entendu dire que
l'Église est contente de vous. Votre complète soumission a eu de l'effet. On affirme que vos supérieurs auraient constaté avec satisfaction qu'en Italie,
aucune œuvre soutenant des hypothèses nouvelles
n'a été publiée depuis que vous vous êtes soumis.

GALILÉE, *attentif.* Malheureusement, il y a des pays qui
se soustraient à la protection de l'Église. Je crains
que les théories condamnées continuent d'y être sou-
tenues.

ANDREA. Là aussi, à la suite de votre rétractation, un
revers, agréable à l'Église, s'est produit.

GALILÉE. Vraiment ? *Un temps.* Rien de la part de Descartes ? Rien du côté de Paris ?

ANDREA. Si. À la nouvelle de votre rétractation, il a fourré dans son tiroir son traité sur la nature de la lumière.

Un long temps.

GALILÉE. Je suis préoccupé par quelques-uns de mes amis hommes de science que j'ai conduits sur le chemin de l'erreur. Ma rétractation leur a-t-elle appris quelque chose ?

ANDREA. Pour pouvoir me consacrer à la science, j'ai l'intention d'aller en Hollande. On ne permet pas au bœuf ce que Jupiter ne se permet pas à lui-même.

GALILÉE. Je comprends.

ANDREA. Federzoni polit de nouveau des lentilles dans une obscure boutique à Milan.

GALILÉE *rit.* Il ne parle pas latin.

Un temps.

ANDREA. Fulgenzio, notre petit moine, a renoncé à la recherche et s'en est retourné dans le giron de l'Église.

GALILÉE. Oui.

Un temps.

GALILÉE. Mes supérieurs envisagent aussi la guérison de mon âme. Je fais des progrès bien plus grands qu'on ne l'espérait.

ANDREA. Ah bon !

VIRGINIA. Dieu soit loué !

GALILÉE, *bourru.* Va voir les oies, Virginia.

Virginia sort fâchée. Au passage, le moine l'interpelle.

LE MOINE. L'homme me déplaît.

VIRGINIA. Il est inoffensif. Vous l'entendez bien. *En partant.* Nous avons reçu du fromage de chèvre frais. *Le moine la suit.*

ANDREA. Je vais devoir voyager toute la nuit pour franchir la frontière demain matin. Puis-je partir ?

GALILÉE. Je ne sais pas pourquoi tu es venu, Sarti. Pour jeter le trouble en moi ? Je vis avec prudence et je pense avec prudence depuis que je suis ici. Cela ne m'empêche pas d'avoir des rechutes.

ANDREA. J'aimerais mieux ne pas vous contrarier, monsieur Galilée.

GALILÉE. Barberini l'appelait la gale. Lui-même ne s'en était pas complètement défait. J'ai recommencé d'écrire.

ANDREA. Ah bon ?

GALILÉE. J'ai achevé les *Discorsi.*

ANDREA. Quoi ? Les « discours touchant deux nouvelles sciences : la mécanique et les lois de la chute des corps » ? Ici ?

GALILÉE. Oh, on me donne plume et papier. Mes supérieurs ne sont pas des imbéciles. Ils savent que les vices enracinés ne peuvent pas être extirpés d'un jour à l'autre. Ils me protègent des suites désagréables en me soustrayant le tout page après page.

ANDREA. Ô Dieu !

GALILÉE. Tu disais quelque chose ?

ANDREA. On vous laisse labourer l'océan ! On vous donne plume et papier pour que vous restiez tranquille ! Comment avez-vous seulement pu écrire avec cette perspective devant les yeux ?

GALILÉE. Oh, je suis esclave de mes habitudes.

ANDREA. Les *Discorsi* entre les mains des moines ! Et Amsterdam et Londres et Prague qui en sont affamés !

GALILÉE. J'entends gémir Fabricius réclamant sa livre de chair, lui qui est bien à l'abri à Amsterdam.

ANDREA. Deux nouvelles branches du savoir pratiquement perdues !

GALILÉE. Cela l'exaltera sans doute, lui et quelques autres, d'entendre que j'ai risqué les derniers restes misérables de mon bien-être pour faire une copie, pour ainsi dire derrière mon dos, usant la dernière once de lumière des nuits les plus claires de ces six derniers mois.

ANDREA. Vous avez une copie ?

GALILÉE. Ma vanité m'a retenu jusqu'alors de la détruire.

ANDREA. Où est-elle ?

GALILÉE. « Si ton œil te nuit, arrache-le. » Quel qu'en soit l'auteur, il savait plus de choses sur le bien-être que moi. Je présume que c'est le comble de la bêtise de la remettre à quelqu'un. Puisque je n'ai pas réussi à me tenir à l'écart des travaux scientifiques, vous pouvez aussi bien l'avoir. La copie est dans le globe. Si tu devais envisager de la faire passer en Hollande, tu en porterais sur tes épaules évidemment l'entière responsabilité. En ce cas tu l'aurais achetée à quelqu'un qui a accès à l'original au Saint-Office.

Andrea est allé au globe. Il en tire la copie.

ANDREA. Les *Discorsi* !

Il feuillette le manuscrit.

ANDREA *lit*. « Mon intention est d'établir une science très nouvelle, traitant d'un sujet très ancien, le mouvement. À travers l'expérimentation, j'ai découvert quelques-unes de ses propriétés qui sont dignes d'être connues. »

GALILÉE. Il fallait bien que j'emploie mon temps à quelque chose.

ANDREA. Ce sera le fondement d'une physique nouvelle.

GALILÉE. Fourre-ça sous le manteau.

ANDREA. Et nous pensions que vous aviez déserté ! Ma voix était la plus forte à vous condamner !

GALILÉE. Comme il se devait. Je t'enseignais la science et je niais la vérité.

ANDREA. Ceci change tout. Tout.

GALILÉE. Ah oui ?

ANDREA. Vous cachiez la vérité. À l'ennemi. Dans le domaine de l'éthique aussi vous aviez des siècles d'avance sur nous.

GALILÉE. Explique-moi ça, Andrea.

ANDREA. Avec l'homme de la rue, nous disions : il mourra mais il ne se rétractera jamais. Vous êtes revenu : je me suis rétracté mais je vivrai. Vous avez les mains sales, disions-nous. Et vous de dire : mieux vaut sales que vides.

GALILÉE. Mieux vaut sales que vides. Cela sonne réaliste. Cela sonne bien de moi. À science nouvelle, nouvelle éthique.

ANDREA. Moi, j'aurais dû le savoir avant tous les autres ! J'avais onze ans quand vous avez vendu la lunette d'un autre homme au Sénat de Venise. Et je vous ai vu faire un usage immortel de cet instrument. Vos amis hochaient la tête quand vous vous êtes incliné devant l'enfant de Florence : la science y gagna de l'audience. Les héros depuis toujours vous font rire. « Les gens qui souffrent m'ennuient », disiez-vous. « Le malheur résulte de calculs erronés. » Et : « Devant les obstacles, il se pourrait que la ligne la plus courte entre deux points soit la courbe. »

GALILÉE. Je me rappelle.

ANDREA. Et quand il vous a plu, en trente-trois, de rétracter un point populaire de vos théories, j'aurais dû savoir que vous vous retiriez simplement d'une rixe politique sans espoir, pour continuer à vous occuper des affaires véritables de la science.

GALILÉE. Lesquelles consistent en...

130

ANDREA. ... l'étude des propriétés du mouvement, père des machines qui seules rendront la terre habitable au point qu'on pourra se passer du ciel.

GALILÉE. Ah ! Ah !

ANDREA. Vous avez conquis le temps d'écrire une œuvre scientifique que vous seul pouviez écrire. Si vous aviez fini sur le bûcher, dans une auréole de feu, les autres auraient été vainqueurs.

GALILÉE. Ils sont vainqueurs. Et il n'y a pas d'œuvre scientifique qu'un homme soit seul à pouvoir écrire.

ANDREA. Pourquoi vous êtes-vous alors rétracté ?

GALILÉE. Je me suis rétracté parce que j'avais peur de la douleur physique.

ANDREA. Non !

GALILÉE. On m'a montré les instruments.

ANDREA. Ce n'était donc pas une ruse ?

GALILÉE. Ce ne l'était pas.

Un temps.

ANDREA, *à voix haute.* La science ne connaît qu'une loi : la contribution scientifique.

GALILÉE. Et celle-là je l'ai livrée. Bienvenue dans le ruisseau, frère par la science et cousin par trahison ! Tu manges du poisson ? J'ai du poisson. Ce qui pue, ce n'est pas mon poisson mais moi. Moi je brade, toi tu es acquéreur. Ô vision irrésistible du livre, la marchandise sacrée ! L'eau vient à la bouche et les insultes s'y noient. La grande Babylonienne, la bête assassine, l'écarlate, ouvre ses cuisses et tout est différent ! Que soit sanctifiée notre communauté trafiquante, qui blanchit son trafic et a peur de la mort !

ANDREA. La peur de la mort est humaine ! Les faiblesses humaines ne regardent pas la science.

GALILÉE. Non ? Mon cher Sarti, même dans l'état où je suis, je me sens capable encore de vous donner quelques indications sur tout ce qui regarde la science à laquelle vous vous êtes adonné.

Un petit temps.

GALILÉE, *académique, les mains croisées sur le ventre.* À mes heures de loisir, et j'en ai beaucoup, j'ai considéré mon cas et je me suis demandé de quelle manière la communauté des hommes de science, dont je m'exclus moi-même, aura à le juger. Même un marchand de laine doit, en dehors d'acheter bon marché et de vendre cher, se préoccuper encore de ce que le négoce de la laine se fasse sans entraves. La perpétuation de la science me semble à cet égard requérir une vaillance particulière. Elle fait le négoce du savoir issu du doute. Procurant du savoir sur tout pour tous, elle aspire à faire de tous des hommes de doute. Or la plus grande partie de la population est tenue par ses princes, ses propriétaires terriens et son clergé, dans un brouillard nacré de superstitions et de vieux dictons qui couvre leurs machinations. La misère de la multitude est vieille comme la montagne et du haut de la chaire, celle de l'église ou celle de l'université, on la déclare indestructible comme la montagne. Notre nouvel art du doute a ravi le grand public. Il nous a arraché le télescope des mains et l'a braqué sur ses tourmenteurs. Ces hommes égoïstes et violents qui avaient profité avidement des fruits de la science ont senti en même temps l'œil froid de la science braqué sur une misère millénaire mais artificielle, qu'on pouvait très clairement supprimer en les supprimant eux. Ils nous inondaient de menaces et de tentatives de corruptions, irrésistibles pour les âmes faibles. Mais pouvons-nous nous refuser à la foule et rester tout de même hommes de science ? Les mouvements des corps célestes sont devenus plus prévisibles ; mais toujours incalculables pour les peuples sont les mouvements de leurs souverains. Le combat pour rendre le ciel mesurable est gagné à cause du doute ; à cause de la foi, le combat de la ménagère romaine pour son lait sera encore et toujours perdu. La science, Sarti, a à voir avec ces deux combats. Une humanité trébuchante dans ce brouillard nacré de superstitions et de vieux dictons millénaires, trop ignorante pour déployer pleinement ses propres forces, ne sera pas capable de déployer les forces de la nature que vous dévoilez. Pour quoi travaillez-vous ? Moi je soutiens que le seul but de la science consiste à soulager les peines de l'existence humaine. Quand des hommes de science intimidés par des hommes de pouvoir égoïstes se contentent d'amasser le savoir pour le savoir, la science peut s'en trouver mutilée, et vos nouvelles machines pourraient ne signifier que des tourments nouveaux. Vous découvrirez peut-être avec le temps tout ce qu'on peut découvrir, et votre progrès cependant ne sera qu'une progression, qui vous éloignera de l'humanité. L'abîme entre elle et vous pourrait un jour devenir si grand qu'à votre cri de joie devant quelque nouvelle conquête pourrait répondre un cri d'horreur universel. Moi, en tant qu'homme de science, j'avais une possibilité unique. De mon temps l'astronomie atteignait les places publiques. Dans ces conditions tout à fait particulières, la fermeté d'un homme aurait pu provoquer de grands ébranlements. Si j'avais résisté, les physiciens auraient pu développer quelque chose comme le serment d'Hippocrate des médecins, la promesse d'utiliser leur science uniquement pour le bien de l'humanité ! Au point où en sont les choses, le mieux que l'on puisse espérer est une lignée de nains inventifs qui loueront leurs services à n'importe quelle cause. J'ai en outre acquis la conviction, Sarti, que je n'ai jamais été vraiment en danger. Quelques années durant, j'ai même été aussi fort que les autorités et j'ai livré mon savoir aux puissants pour qu'ils en usent, n'en usent pas ou en abusent tout comme cela servait leurs intérêts. *Virginia est entrée avec un plat et s'arrête.* J'ai trahi ma profession. Un homme qui fait ce que j'ai fait ne peut être toléré dans les rangs de la science.

VIRGINIA. Tu es admis dans les rangs des croyants.

Elle poursuit son trajet et pose le plat sur la table.

GALILÉE. C'est juste. Il faut que je mange maintenant. *Andrea lui tend la main. Galilée voit cette main mais ne la prend pas.*

GALILÉE. À présent tu enseignes toi-même. Peux-tu te permettre de prendre une main comme la mienne ? *Il va à la table.* Quelqu'un qui passait par ici m'a envoyé des oies. Je mange toujours volontiers.

ANDREA. Ainsi vous n'êtes plus d'avis qu'une ère nouvelle a commencé ?

GALILÉE. Si. Fais attention à toi quand tu traverseras l'Allemagne, la vérité sous le manteau.

ANDREA, *incapable de partir.* En ce qui concerne votre appréciation de l'auteur dont nous parlions, je ne peux pas vous répondre. Mais je ne peux pas croire que votre analyse meurtrière ait le dernier mot.

GALILÉE. Grand merci, monsieur. *Il commence à manger.*

VIRGINIA, *en raccompagnant Andrea.* Nous n'aimons pas les visiteurs du passé. Ils le contrarient.

Andrea s'en va. Virginia revient.

GALILÉE. As-tu idée de qui a pu nous envoyer les oies ?

VIRGINIA. Pas Andrea.

GALILÉE. Peut-être pas. Comment est la nuit ?

VIRGINIA, *à la fenêtre.* Claire.

15

1637. *Discorsi*, LE LIVRE DE GALILÉE, PASSE LA FRONTIÈRE ITALIENNE.

> Bonnes gens, ne l'oubliez pas
> Le livre a passé la frontière.
> Nous qui du savoir avions faim,
> Nous sommes restés en arrière.
> Ce feu sacré entre vos mains
> De grâce n'en abusez pas
> Ou autrement il finira
> Par nous dévorer tous
> Oui, tous.

Une petite ville à la frontière italienne, tôt le matin. Près de la barrière du garde-frontière, des enfants jouent. Andrea attend au côté d'un cocher que les garde-frontières aient examiné ses papiers. Il est assis sur une petite malle et lit le manuscrit de Galilée. Au-delà de la barrière se trouve la voiture.

LES ENFANTS *chantent.*
    Marie assise sur la pierre
    Dans sa chemise rose clair
    L'a toute crottée par-derrière.
    Mais quand est revenu l'hiver
    La chemisette elle a passé :
    Car crotté n'est pas déchiré.
LE GARDE-FRONTIÈRE. Pourquoi quittez-vous l'Italie ?
ANDREA. Je suis un savant.
LE GARDE-FRONTIÈRE, *au secrétaire.* Écris sous « motif du départ » : savant. Je dois inspecter vos bagages. *Il le fait.*

LE PREMIER GARÇON, *à Andrea*. Vous ne devriez pas vous asseoir ici. *Il désigne la cabane devant laquelle est assis Andrea.* C'est une sorcière qui vit là.

LE DEUXIÈME GARÇON. La vieille Marina n'est pas du tout une sorcière.

LE PREMIER GARÇON. Tu veux que je te déboîte la main ?

LE TROISIÈME GARÇON. Si, c'en est une. La nuit, elle vole dans l'air.

LE PREMIER GARÇON. Et comment se fait-il qu'il n'y a personne dans toute la ville pour lui donner un pot de lait si elle n'est pas une sorcière ?

LE DEUXIÈME GARÇON. Et comment elle ferait pour voler dans l'air ? Personne ne peut faire ça. *À Andrea.* Ça se peut ?

LE PREMIER GARÇON, *en parlant du deuxième*. Ça c'est Giuseppe. Il ne sait rien de rien parce qu'il ne va pas à l'école, parce qu'il n'a pas un seul pantalon à se mettre.

LE GARDE-FRONTIÈRE. Qu'est-ce que c'est comme livre ?

ANDREA, *sans lever les yeux*. C'est du grand philosophe Aristote.

LE GARDE-FRONTIÈRE, *méfiant*. Qui c'est celui-là ?

ANDREA. Un qui est mort déjà.

Les garçons, pour se moquer d'Andrea en train de lire, vont et viennent autour de lui comme si eux aussi lisaient des livres tout en marchant.

LE GARDE-FRONTIÈRE, *au secrétaire*. Regarde s'il y a quelque chose sur la religion là-dedans.

LE SECRÉTAIRE *feuillette*. Je ne trouve rien.

LE GARDE-FRONTIÈRE. Au fond cette inspection a peu de sens. Personne ne nous exposerait aussi ouvertement ce qu'il a à cacher. *À Andrea.* Vous devez signer que nous avons tout examiné.

Andrea se lève avec hésitation et tout en continuant de lire suit le garde-frontière à l'intérieur du poste.

LE TROISIÈME GARÇON, *au secrétaire, en désignant la malle*. Il y a encore quelque chose, vous voyez ?

LE SECRÉTAIRE. Ça n'était pas déjà là tout à l'heure ?

LE TROISIÈME GARÇON. C'est le diable qui l'a posée là. C'est une malle.

LE DEUXIÈME GARÇON. Non, elle appartient à l'étranger.

LE TROISIÈME GARÇON. Moi, je n'irai pas y voir. Elle a ensorcelé les chevaux de Passi, le cocher. J'ai moi-même regardé par le trou que la tempête de neige a fait dans le toit et j'ai entendu comme ils ont toussé.

LE SECRÉTAIRE, *qui avait déjà presque atteint la malle, hésite et revient sur ses pas*. Le diable dans ses œuvres, n'est-ce pas ? Bon, on ne peut pas tout contrôler. Où irait-on ?

Andrea revient avec une cruche de lait. Il se rassied sur la malle et continue à lire.

LE GARDE-FRONTIÈRE *le suit avec des papiers*. Referme les malles. Nous avons tout ?

LE SECRÉTAIRE. Tout.

LE DEUXIÈME GARÇON, *à Andrea*. Vous êtes un savant, vous. Alors dites : est-ce qu'on peut voler dans les airs ?

ANDREA. Attends un instant.

LE GARDE-FRONTIÈRE. Vous pouvez passer.

Le cocher a pris les bagages. Andrea prend la malle et veut partir.

LE GARDE-FRONTIÈRE. Halte ! Qu'est-ce que c'est que cette malle ?

ANDREA, *reprenant son livre*. Ce sont des livres.

LE PREMIER GARÇON. C'est celle de la sorcière.

LE GARDE-FRONTIÈRE. Bêtises. Comment pourrait-elle envoûter une malle ?

LE TROISIÈME GARÇON. Puisque le diable est avec elle !

LE GARDE-FRONTIÈRE *rit*. Ça ne compte pas ici. *Au secré-taire.* Ouvre.

On ouvre la malle.

LE GARDE-FRONTIÈRE, *de mauvaise humeur.* Il y en a combien ?

ANDREA. Trente-quatre.

LE GARDE-FRONTIÈRE, *au secrétaire.* Ça te prendra combien de temps ?

LE SECRÉTAIRE, *qui a commencé à fouiller superficielle-ment dans la malle.* Tout imprimé déjà. Ce qui est sûr, c'est que vous pouvez oublier votre petit déjeu-ner. Et si je dois feuilleter tous ces livres, quand est-ce que j'irai chez le cocher Passi pour encaisser le péage qu'il nous doit alors que sa maison est mise aux enchè-res ?

LE GARDE-FRONTIÈRE. Oui, il nous faut cet argent. *Il repousse du pied les livres.* Bah, qu'est-ce qu'il peut bien y avoir d'important là-dedans ! *Au cocher.* Vas-y !

Andrea passe la frontière en compagnie du cocher qui porte la malle. L'ayant franchie, il met le manus-crit de Galilée dans son sac de voyage.

LE TROISIÈME GARÇON *montre la cruche qu'Andrea a laissée.* Là !

LE PREMIER GARÇON. Et la malle est partie ! Vous voyez que c'était le diable ?

ANDREA, *se retournant.* Non, c'était moi. Il te faut apprendre à ouvrir les yeux. Le lait est payé et la cruche aussi. C'est pour la vieille. Oui, je n'ai pas encore répondu à ta question Giuseppe. On ne peut pas voler dans les airs sur un bâton ! Il devrait y avoir au moins une machine avec. Mais ces sortes de machines n'existent pas encore. Peut-être qu'il n'y en aura jamais, car l'homme est trop pesant.

Mais naturellement on ne peut pas le savoir. Nous n'en savons pas assez, loin de là, Giuseppe. Nous n'en sommes vraiment qu'au commencement.

Présentation dans les *Essais*, cahier 14 (1955) : « La pièce *La Vie de Galilée* (dix-neuvième essai) a été écrite de 1938 à 1939 durant l'exil au Danemark. Les journaux venaient d'annoncer la nouvelle de la fission de l'atome d'uranium par le physicien Otto Hahn et ses collaborateurs. » – C'est à partir de cette version « danoise » que Brecht établit une version anglaise, avec la collaboration de Charles Laughton, qui joua la pièce aux États-Unis. La troisième version, « berlinoise », publiée dans les *Essais,* est issue de ces deux premières versions. Au théâtre, lors des présentations américaines et de celles du Berliner Ensemble, le tableau 14 constituait la conclusion, et l'épigraphe du tableau 15, l'épilogue. Hanns Eisler a composé une musique pour les épigraphes, le poème de Laurent le Magnifique sur la fragilité des choses (tableau 7) et la ballade du chanteur de rue (tableau 10).

Un premier texte français de cette pièce, établi par Armand Jacob et Édouard Pfrimmer, a paru en 1955. Après avoir été revu et remanié, il figure dans le volume IV du *Théâtre complet* en huit volumes.

La présente version a été établie à partir de l'édition critique de l'œuvre de Bertolt Brecht : *Bertolt Brecht Werke. Grosse kommentierte Berliner und Frankfurter Ausgabe, Stücke 5* (Aufbau-Verlag Berlin et Weimar ; Suhrkamp Verlag Francfort-sur-le-Main).

Cette version française de *La Vie de Galilée* a été représentée pour la première fois à la Comédie-Française le 24 mars 1990.

N.d.E.

BERTOLT BRECHT ET L'ARCHE

Théâtre complet

Tome 1 (1919-1926)
Baal (*Trad. par Guillevic*) / Tambours dans la nuit (*Trad. par Sylvie Muller*) / Dans la jungle des villes (*Trad. par Jean Jourd-heuil et Sylvie Muller*) / La Vie d'Edouard II d'Angleterre (*Trad. par Jean Jourdheuil avec la collaboration de Sylvie Muller*) / Homme pour homme (*Trad. par Geneviève Serreau et Benno Besson*) / L'Enfant d'éléphant (*Trad. par Sylvie Muller*)

Tome 2 (1928-1931)
L'Opéra de quat'sous (*Trad. par Jean-Claude Hémery*) / Gran-deur et décadence de la ville de Mahagonny (*Trad. par Jean-Claude Hémery et Geneviève Serreau*) / Le Vol au-dessus de l'océan (*Trad. par Gilbert Badia*) / L'Importance d'être d'accord (*Trad. par Edouard Pfrimmer et Geneviève Serreau*) / Celui qui dit oui, celui qui dit non / La Décision (*Trad. par Edouard Pfrimmer*) / Sainte Jeanne des abattoirs (*Trad. par Gilbert Badia avec la collaboration de Claude Duchet*)

Tome 3 (1930-1938)
L'Exception et la Règle (*Trad. par Bernard Sobel et Jean Dufour*) / La Mère (*Trad. par Maurice Regnaut et André Steiger*) / Têtes rondes et têtes pointues (*Trad. par Bernard Lortholary*) / Les Hora-ces et les Curiaces (*Trad. par André Gisselbrecht*) / Grand-peur et misère du IIIᵉ Reich (*Trad. par Maurice Regnaut et André Steiger*)

Tome 4 (1937-1940)
Les Fusils de la mère Carrar (*Trad. par Gilbert Badia*) / La Vie de Galilée (*Trad. par Armand Jacob et Edouard Pfrimmer*) / Mère Courage et ses enfants (*Trad. par Guillevic*) / La Bonne Âme du Se-Tchouan (*Trad. par Jeanne Stern*)